FRANCOPHONIES
D'AMÉRIQUE

FRANCOPHONIES

D'AMÉRIQUE

Printemps 2012   Numéro 33

Les Presses de l'Université d'Ottawa
Centre de recherche en civilisation canadienne-française

FRANCOPHONIES
D'AMÉRIQUE

Printemps 2012 Numéro 33

Directeur :

FRANÇOIS PARÉ
Université de Waterloo
Courriel : fpare@uwaterloo.ca

Conseil d'administration :

JOEL BELLIVEAU, président
Université Laurentienne

GRATIEN ALLAIRE, président sortant
Université Laurentienne

MOURAD ALI-KHODJA
Université de Moncton

JOEY DE PAX
CREFO, Université de Toronto

ANNE GILBERT
CRCCF, Université d'Ottawa

PASCAL MARCHAND
AUFC

PAULIN MULATRIS
Faculté Saint-Jean, Université de l'Alberta

MARTIN PÂQUET
CEFAN, Université Laval

FRANÇOIS PARÉ
Université de Waterloo

JULES ROCQUE
Université de Saint-Boniface

JIMMY THIBEAULT
Université Sainte-Anne

Comité éditorial :

MARIANNE CORMIER
Université de Moncton

SYLVIE DUBOIS
Louisiana State University

LUCIE HOTTE
Université d'Ottawa

CILAS KEMEDJIO
Université de Rochester

JEAN-PIERRE LE GLAUNEC
Université de Sherbrooke

JOHANNE MELANÇON
Université Laurentienne

PAMELA V. SING
Université de l'Alberta

Recensions :

DOMINIQUE LAPORTE
Université du Manitoba
Courriel : Dominique.Laporte@ad.umanitoba.ca

Assistante de recherche : ÉLISABETH TREMBLAY

Révision linguistique, correction d'épreuves et coordination : COLETTE MICHAUD

Mise en page : MARTIN ROY

Maquette de la couverture : CHRISTIAN QUESNEL

En couverture : Julie RENÉ DE COTRET et Annie DUNNING, *Géocroiseur*, plexiglas, bois, pigment et scorie, 1,8 m x 1,8 m x 1,8 m, mai 2012. Présenteur : Ed Vidéo Centre d'art médiatique autogéré; site d'exposition : Foire d'art alternatif de Sudbury FAAS3. Photo : Julie René de Cotret.

Cette revue est publiée grâce à la contribution financière des institutions suivantes :

Association des universités de la francophonie canadienne (AUFC) • CEFAN, Université Laval • CRCCF, Université d'Ottawa • CREFO, Université de Toronto • Faculté Saint-Jean, Université de l'Alberta • Université de Moncton • Université de Saint-Boniface • Université Laurentienne • Université Sainte-Anne

ISBN : 978-2-7603-0810-7
ISSN : 1183-2487 (Imprimé)
ISSN : 1710-1158 (En ligne)
Dépôt légal – Bibliothèque et Archives nationales du Québec, 2013
Dépôt légal – Bibliothèque et Archives Canada, 2013
Les Presses de l'Université d'Ottawa / Centre de recherche en civilisation canadienne-française, 2013
Imprimé au Canada

Comment communiquer avec

FRANCOPHONIES
D'AMÉRIQUE

POUR LES QUESTIONS D'ABONNEMENT, DE DISTRIBUTION
OU DE PROMOTION :

Martin Roy
Centre de recherche
en civilisation canadienne-française
Université d'Ottawa
65, rue Université, bureau 040
Ottawa (Ontario) K1N 6N5
Téléphone : 613 562-5800, poste 4007
Télécopieur : 613 562-5143
Courriel : Roy.Martin@uOttawa.ca
Site Internet : http://www.crccf.uOttawa.ca/francophonies_amerique/index.html

POUR TOUTE QUESTION RELEVANT DU SECRÉTARIAT DE RÉDACTION :

Colette Michaud
Secrétariat de rédaction, *Francophonies d'Amérique*
Centre de recherche
en civilisation canadienne-française
Université d'Ottawa
65, rue Université, bureau 040
Ottawa (Ontario) K1N 6N5
Téléphone : 613 562-5800, poste 4001
Télécopieur : 613 562-5143
Courriel : cmichaud@uOttawa.ca

Francophonies d'Amérique est disponible sur la plateforme Érudit à l'adresse suivante :
http://www.erudit.org/revue/fa/apropos.html

Francophonies d'Amérique est indexée dans :

Klapp, *Bibliographie d'histoire littéraire française* (Stuttgart, Allemagne)

International Bibliography of Periodical Literature (IBZ) et International Bibliography of Book Reviews (IBR) (Osnabrück, Allemagne)

International Bibliography of the Social Sciences (IBSS), The London School of Economics and Political Science (Londres, Grande-Bretagne)

MLA International Bibliography (New York)

REPÈRE – Services documentaires multimédia

Table des matières

Frontières incertaines

RECENSIONS

Présentation
Frontières incertaines

FRANCOPHONIES
D'AMÉRIQUE

François Paré
Université de Waterloo

POUR PRÉSENTER CE NUMÉRO de *Francophonies d'Amérique*, il me semble utile d'évoquer un passage absolument remarquable des cours et séminaires de Roland Barthes, transcrits et rassemblés par Claude Coste en 2002 sous le titre *Comment vivre ensemble*[1]. Barthes s'intéresse alors à ce qu'il appelle « le désir du Deux », notant que dans toutes les sociétés l'unité est plutôt vue comme une punition ou un bannissement, tel le naufragé condamné à vivre sur une île déserte ou le célibataire incapable de trouver partenaire. Cependant, certains récits anciens, notamment ceux de la Genèse, rappellent que l'Un est en réalité un mystère d'une bien plus grande complexité, car il recèle la possibilité d'une unité « composée », gardant en elle-même la possibilité du multiple. Pour Barthes, cette notion est fondamentale, car l'unité pure, sans partage et sans tiraillement, reviendrait à un monde dominé par l'intolérance : « Un renverrait à un sujet sans instance, qui a intégré absolument la loi (état mystique), et Deux à un sujet à la fois soumis et rebelle, en proie à la longue et dure histoire du refoulement » (p. 138). Cette discussion reste assez abstraite, me direz-vous, mais elle rend bien compte de la nécessité de la frontière, en quelque lieu qu'elle soit, même si sa richesse échappe le plus souvent au discours scientifique actuel.

« Frontières incertaines », le titre de ce numéro de *Francophonies d'Amérique*, s'appuie donc sur la coprésence du nom et de l'adjectif. Certes, nous vivons dans un monde où les lignes de démarcations nationales, génériques et existentielles se sont progressivement effacées. Mais cet

---

[1] Roland Barthes, *Comment vivre ensemble : simulations romanesques de quelques espaces quotidiens : cours et séminaires au Collège de France (1976-1977)*, texte établi, annoté et présenté par Claude Coste, Paris, Seuil IMEC, 2002, p. 135-138.

effacement, Barthes nous le rappelle, est de l'ordre du fantasme ; les territoires de l'identité restent aujourd'hui délimités par une multitude de tracés linguistiques, écologiques, historiques, économiques, politiques et autres. Centrés sur la littérature, le théâtre, la linguistique et l'analyse du discours, les articles de ce numéro portent dans l'ensemble sur la dimension frontalière de la représentation. Peut-être faut-il insister ici sur le fait que, plus que tous les autres, sans doute, les francophones de l'Amérique ressentent de façon aiguë l'impossibilité de la pensée unique. Chaque jour, dans leurs comportements langagiers, ils en rejettent les prémisses, s'appuyant plutôt sur le principe d'incertitude qui régit leur présence sur l'ensemble du continent. C'est le poète et essayiste martiniquais Édouard Glissant qui a le mieux exprimé cette nécessité en insistant, comme le montre Ramon Fonkoué, sur l'inclusion radicale et harmonieuse de la diversité à l'intérieur de l'Un. Si toute culture est plurielle, cela ne veut pas dire qu'elle renonce à ses frontières historiques, linguistiques et même politiques. De la même manière, l'étude que propose Antje Ziethen sur la diaspora haïtienne au Québec à partir de la littérature pour la jeunesse montre la volonté des auteurs de refléter le déplacement géographique dans lequel s'inscrivent les œuvres et de témoigner de sa pertinence pour les jeunes lecteurs, qu'ils soient Canadiens ou Antillais... ou les deux.

Dans son article sur la conception du théâtre chez le metteur en scène franco-ontarien Joël Beddows, anciennement directeur du Théâtre la Catapulte et aujourd'hui professeur à l'Université d'Ottawa, Stéphanie Nutting insiste sur l'espace composite de la ville d'Ottawa et sur son impact décisif sur le travail du metteur en scène. Elle ajoute que, chez Beddows, l'unité théâtrale se décline sous l'angle d'une double esthétique qui évoquerait à la fois le problème identitaire, ressenti par les personnages, et le théâtre lui-même en tant que travail sur la langue (les langues ?) et sur la sacralité de l'espace. Romancier et poète d'origine tunisienne, mais Franco-Ontarien de longue date, Hédi Bouraoui a très souvent plaidé pour une plus grande reconnaissance de la pluralité culturelle, générique et linguistique. Noureddine Slimani présente ici un portrait de cette articulation pressante de la diversité dans les premières œuvres de Bouraoui. Pour Slimani, l'écriture y est traversée par une profonde exigence « transfrontalière », une « fiction des limites » qui placerait l'écrivain dans le mouvement incessant des perspectives critiques. De tous les cas étudiés dans ce dossier, l'œuvre d'Hédi Bouraoui est celle qui s'en prend le plus clairement à la domination de la pensée monologique. Par ailleurs, dans son étude d'un roman de Michel Dallaire, François Ouellet montre que la pluralité, vue dans ce cas comme une scission au cœur du sujet, impose une relecture du passé refoulé du personnage. Barthes avait donc raison de noter le rôle central du refoulement dans l'histoire des individus comme dans celle des collectivités. Chez Dallaire, la « fracture avec la solidarité franco-ontarienne » précède l'ouverture sur les autres cultures qui caractérisera toute son œuvre romanesque.

Enfin, l'article de Marie Bernier sur les carences du discours méta-grammatical chez les jeunes francophones en milieu minoritaire éclaire l'ambiguïté du français comme véhicule identitaire unique. Dans bien des cas, la « logique du système » échappe largement à ces locuteurs pour qui la langue apprise durant l'enfance et à l'école garde des traces d'étrangeté. Ce numéro impair de *Francophonies d'Amérique* offre, en complément, sa bibliographie annuelle des études et des thèses sur les cultures franco-phones d'Amérique.

Je m'en voudrais de ne pas souligner, en terminant cette présentation, l'appui renouvelé des universités partenaires de notre revue. En effet, se-lon un modèle de financement unique, la publication de *Francophonies d'Amérique* résulte de l'engagement renouvelé d'universités ayant à cœur la francophonie et établies dans toutes les régions du Canada. Cette for-mule financière permettra à moyen terme de poursuivre la diffusion de recherches pluridisciplinaires novatrices sur toutes les cultures franco-phones de l'Amérique.

Joël Beddows, agent double

Stéphanie Nutting
Université de Guelph

Située au cœur du centre-ville d'Ottawa, sur l'avenue King Edward (une artère majeure de la ville), La Nouvelle Scène est le siège de pas moins de quatre compagnies de théâtre francophone : le Théâtre du Trillium, le Théâtre de la Vieille 17, la Compagnie Vox Théâtre et le Théâtre la Catapulte. Pourtant, la visibilité de ce creuset d'activité artistique en français semble dépendre non pas de la vue mais de l'ouïe. Je m'explique : un voyage à Ottawa en septembre 2011 pour y voir une pièce de théâtre en français montée par le Théâtre la Catapulte et mise en scène par Joël Beddows a révélé un phénomène curieux. Le chauffeur du taxi, qui parlait l'arabe et l'anglais, mais pas le français, et qui prétendait connaître toutes les salles de théâtre de la ville, a certifié, en secouant la tête, qu'il n'existait aucune salle de théâtre sur l'avenue King Edward. Il a pris une mine embarrassée quand, quelques minutes plus tard, il a vu la marquise illuminée et clignotante dans la noirceur d'un soir d'automne.

Pourtant, sa réaction était compréhensible. La ville d'Ottawa, comme la ville de Montréal, n'est pas *une* mais *deux* villes. L'aspect, la couleur, l'ambiance, la perception même de la géographie sont tous déterminés par le choix de la langue officielle qu'on emploie dans son quotidien, car la langue, on le sait, est un embrayeur culturel et spatial important. Cette « superposition » d'espaces, cette dualité linguistique, culturelle et ontologique, caractérise non seulement ces deux métropoles (et combien d'autres villes encore ?), mais elle informe aussi la carrière d'une poignée de praticiens de théâtre bilingues qui œuvrent dans ces deux villes, dont Joël Beddows, un de ces rares metteurs en scène biculturels qui savent naviguer et exploiter avec aisance les labyrinthes de l'espace double.

Francophonies d'Amérique, n° 33 (printemps 2012), p. 13-35

Or autant il est vrai que la ville d'Ottawa ressemble sur ce point à Montréal, autant il est vrai aussi que la donne démographique est radicalement différente en Ontario où il est clair que le poids du nombre de francophones ne peut pas rivaliser avec celui de la région de Montréal. Il va sans dire que la proportion linguistique entre francophones et anglophones est un facteur déterminant dans le développement du théâtre francophone en Ontario. Il serait donc malaisé de vouloir proposer une étude de l'esthétique théâtrale de Beddows sans la mettre en rapport avec le milieu dans lequel il œuvre depuis 1990 (année où il a commencé ses études en théâtre dans le programme du baccalauréat à l'Université d'Ottawa). Huit ans plus tard, il a pris la relève au Théâtre la Catapulte après le départ de son fondateur, Louis Patrick Leroux, et il y est resté jusqu'en 2010. C'est pendant cette période de douze ans qu'il est devenu une figure importante dans le milieu culturel de l'Ontario français. Afin de cerner la spécificité de l'esthétique de Beddows, il faut donc placer ses réalisations sur la toile de fond du théâtre franco-ontarien en général. Voilà pourquoi il est important de présenter deux volets corollaires : une toile de fond qui résume le contexte de l'émergence du théâtre franco-ontarien et une étude qui donne à voir les deux grandes tendances qui caractérisent le travail de Beddows.

Selon le recensement de 2001, la ville d'Ottawa compterait environ 117 000 personnes, soit 15,3 % de la population, qui déclarent le français comme seule langue maternelle. À celles-ci s'ajoutent environ 8 000 personnes qui ont le français et l'anglais comme langues maternelles (Bertrand, 2004 : n. p.). Mais ces données ne disent pas tout, car en réalité le public qui fréquente le théâtre francophone d'Ottawa provient aussi du côté québécois de la rivière des Outaouais, de Gatineau surtout, ce qui fait monter à environ un quart de million le bassin potentiel de spectateurs francophones ou francophiles dans le réseau frontalier est ontarien.

Toujours est-il que ce chiffre se compare difficilement à celui de la population de Montréal qui dépasserait les 3,8 millions d'âmes, dont 53,1 % sont francophones[1]. D'ailleurs, la faible proportion de locuteurs

---

[1]   Le nombre 3,8 millions correspond aux statistiques retenues par l'*Encylcopædia Universalis*, tandis que le chiffre 53,1 % vient de l'*Enquête sur les pratiques culturelles au Québec* publiée en 2004 par le ministère de la Culture et des Communications du Québec (Dalphond et Audet, 2004 : 357). Il est intéressant de noter que le nombre

francophones par rapport aux locuteurs anglophones est, on le sait, une des raisons principales pour lesquelles, à ses origines, le théâtre franco-ontarien a voulu privilégier un théâtre à caractère communautaire qui s'inscrivait dans un discours identitaire de la permanence et de l'enracinement. Devant la menace de marginalisation et d'assimilation linguistique, les besoins étaient alors aussi précis que pressants : il fallait jeter les bases d'un répertoire qui permettait une identification profonde entre le public et le théâtre. L'esthétique de ce genre de théâtre privilégiait la création collective et le contact le plus direct avec le public – Beddows parlera plus tard de « quasi-symbiose » (Beddows, 2002 : 52).

Suivant le modèle élaboré par André Paiement dans les années 1970 à Sudbury, le théâtre à caractère communautaire autorisait et rassurait une langue, une culture et une identité fragilisées par la minorisation. Au cœur des préoccupations se trouvaient la famille (le plus souvent représentée comme dystopique) et la problématique de l'appartenance (le plus souvent douloureuse) qui se déclinait dans divers espaces régionaux. Mettant l'exploration de l'oralité et de la spécificité linguistique du parler franco-ontarien au cœur de ses réalisations, Paiement reconnaissait et exploitait ce que Jane Moss a appelé l'« altérité linguistique » (Moss, 2010 : 83)[2]. Par ailleurs, la monographie récente de Michel Chevrier, *The Oral Stage: a Comparative Study of Franco-Ontarian Theatre from 1970 to 2000*, confirme la prépondérance des pratiques orales tel le conte dans l'émergence du théâtre francophone en Ontario. Même aujourd'hui, la surconscience linguistique liée à l'oralité demeure une des caractéristiques fondamentales du théâtre franco-ontarien.

Et voilà qu'une pratique inaugurée par le Théâtre du Nouvel-Ontario, sous la direction d'André Paiement (1971-1976), devient un modèle de fonctionnement adopté par d'autres : le Théâtre d'la Corvée de Vanier, qui porte, depuis 1988, le nom de Théâtre du Trillium, et le Théâtre de la Vieille 17 emboîtent le pas en favorisant une dramaturgie qui privilégie la création collective (il faut dire que le théâtre de Paiement et de la Coopérative des artistes du Nouvel-Ontario (CANO) était fortement influencé par la contre-culture étatsunienne et aussi par le théâtre

---

varie beaucoup selon les composantes du territoire de Montréal, qui est divisé en trois parties : l'ouest, l'est et le centre.

[2]   Voir aussi l'article de Jane Moss, « Le théâtre franco-ontarien: Dramatic Spectacles of Linguistic Otherness », *University of Toronto Quarterly*, vol. 69, n° 2 (2000), p. 587-614.

épique brechtien) (Moss, 2010 : 74). À ses débuts, ce genre de théâtre se concevait dans une large mesure comme théâtre de tournée qui sillonnait la province et qui était ouvert, d'un côté, à la classe ouvrière, et de l'autre côté, aux intérêts des jeunes adultes franco-ontariens.

Si ce mouvement des troupes permettait de rejoindre un plus grand public dispersé en région, il a aussi confirmé l'influence grandissante des trois pôles géographiques de l'activité artistique, le fameux triangle Sudbury-Toronto-Ottawa qui aimantait les tournées et qui formait la base d'un réseau de production qui, aujourd'hui, ne cesse de se renforcer.

Mais, comme nous l'avons constaté plus haut, le bassin de spectateurs à Ottawa est composé d'un public qui vit, du moins en partie, au Québec. Le modèle ex-centrique – c'est-à-dire éloigné du centre – qui a émané du nord de l'Ontario, en l'occurrence de Sudbury, à partir des années 1970 ne représentait que de manière imparfaite la situation qui existait et qui existe encore dans la capitale nationale. En effet, le miroir qui reflétait alors le secteur ouvrier en région ne reflète plus forcément les intérêts et les préoccupations de la population actuelle de la capitale, qui est cosmopolite, bourgeoise et, maintenant, vieillissante[3].

Évidemment, les relations entre les trois pôles géographiques et l'évolution du théâtre francophone en Ontario sont bien plus complexes que ce portrait trop simpliste ne le laisse entendre, mais il faut comprendre l'esthétique fondatrice qui a longtemps servi de modèle afin de cerner le positionnement esthétique de Beddows. C'est précisément cette toile de fond qui légitime l'hypothèse selon laquelle Beddows serait un « agent double », dans le meilleur sens du terme.

Pourquoi agent double? Né à Sturgeon Falls, près de Sudbury, il a grandi dans cette région qui a été le creuset principal du théâtre francophone en région. Cet anglophone de naissance, qui parle le français sans le moindre soupçon d'accent anglais, a vécu, a-t-il confié lors d'un entretien téléphonique, un rejet de l'anglais. Et il ajoute aussitôt : « Il y a eu depuis peu une réconciliation. » Beddows est un agent double non pas seulement parce qu'il habite avec un art consommé deux espaces linguistiques et culturels, mais aussi parce qu'il a œuvré dans un domaine qu'on pourrait qualifier d'identitaire tout en cultivant une esthétique

---

[3]   Deux pièces phares associées à cette époque sont, bien entendu, *Moé j'viens du Nord, 'stie* et *Lavalléville*.

radicalement autre. Il est utile de retenir le fait que sa thèse de doctorat portait sur le fonctionnement institutionnel du théâtre franco-ontarien entre 1971 et 1991 et qu'il connaît par cœur tout le théâtre revendicateur et identitaire d'André Paiement puisqu'il a préparé, pour Prise de Parole, une réédition de l'œuvre de ce dernier en 2004. En tant que praticien, il côtoie non seulement le milieu artistique de l'Ontario français, mais également le milieu universitaire en tant que professeur agrégé au Département de théâtre de l'Université d'Ottawa, dont il est le directeur depuis l'été 2011, et titulaire de la Chaire de recherche sur la francophonie canadienne (pratiques culturelles). C'est surtout en tant que chercheur qu'il a rassemblé et édité les textes dramatiques de Paiement.

Il connaît également intimement le théâtre de Jean Marc Dalpé. Il a signé, pour *Le dictionnaire des œuvres littéraires du Québec* (*DOLQ*), deux articles consacrés aux réalisations sudburoises du tandem Jean Marc Dalpé-Brigitte Haentjens. En tant que praticien, il a effectué la mise en scène du *Chien* en 2007 pour souligner le 20e anniversaire de la pièce au Théâtre du Nouvel-Ontario et au Centre national des Arts où cette production fut le spectacle d'ouverture de la biennale Zones théâtrales. Ceux et celles qui connaissent la pièce savent qu'elle participe de deux registres à la fois : l'universel et le régional. Le rêve, le fantasme du parricide, l'abject comme expérience limite, la métaphorisation complexe, tous ces éléments du mythe cohabitent avec l'identitaire, qui est ancré dans une géographie de *norditude* et incarné dans une langue de diglossie délinquante[4].

Beddows sait aussi que le théâtre identitaire s'est développé au prix d'un rejet (nécessaire) de la culture française : « Je me suis dit que si le théâtre franco-ontarien veut passer au prochain niveau dans son évolution, il faut qu'il cesse d'avoir peur de la grande culture et des récits fondateurs de l'Occident » (Beddows cité dans Ruprecht, 2010 : 295). Quand il a assumé la direction artistique du Théâtre la Catapulte en 1998, il s'est alors fixé pour objectif d'effectuer un virage plus « universaliste », ce qui a entraîné, plus tard, des décisions controversées. Il a encouragé les jeunes dramaturges franco-ontariens Richard Léger, Marc LeMyre et Maude St-Denis à aborder des mythes fondateurs tels Faust, Turandot et Tristan et Yseult dans le cadre de la trilogie « Les grands récits », entre 1998 et 2002.

---

4   Pour une étude de l'univers dalpéen, voir Nutting et Paré (2007).

Il a piloté la tournée de spectacles dans les écoles franco-ontariennes partout en province, quinze ans après le scandale des *Rogers*. De plus, il a créé des liens importants avec les écoles d'immersion d'Ottawa-Gatineau et il a resserré les liens non seulement avec le Théâtre du Nouvel-Ontario mais aussi avec le Théâtre français de Toronto – traditionnellement le « mouton noir » du milieu franco-ontarien puisqu'il programmait aussi des pièces québécoises. Au cours de la saison 2009-2010, il a établi la programmation de *L'illusion comique* de Corneille et des *Médecins* de Molière (deux farces en un acte) et il a veillé à ce que les pièces soient surtitrées en anglais à la représentation du jeudi. Voilà des choix qui ont heurté les valeurs de certains de ses collègues : « Le théâtre classique et les surtitres étaient donc des derniers tabous, non pas dans l'esprit du public mais dans l'esprit de mes collègues, pour des raisons idéologiques » (Beddows cité dans Ruprecht, 2010 : 298).

Malgré les réserves de certains, il serait faux de dire que cette vision qui valorise « la grande culture et [l]es récits fondateurs de l'Occident » (Beddows cité dans Ruprecht, 2010 : 295) se dissocie automatiquement des préoccupations sociales contemporaines des spectateurs. Mais Beddows prise aussi ce qu'il appelle « un théâtre de la société ». En témoigne le choix de ses programmations, qui ont déjà abordé des questions actuelles comme la violence dans les écoles (*Cette fille-là* de Joan MacLeod, ou *Rage* de Michele Riml), la dépression chez les adolescents et la rupture du couple parental (*Safari de banlieue* de Stephan Cloutier). Le choix de mettre en scène du théâtre pour adolescents concorde d'ailleurs autant avec le mandat de La Catapulte qu'avec les objectifs de Beddows qui s'intéresse, quant à lui, autant aux phénomènes propres à l'adolescence qu'aux artistes dits de « la relève ». Pour lui, l'appui des artistes émergents et la construction d'un public intergénérationnel sont absolument nécessaires pour assurer la santé du milieu. Mais voilà qu'une précision importante s'impose : bien que Beddows opte très souvent pour des textes qui traitent de thématiques sociales réelles, il récuse de façon systématique le discours identitaire et le recours au réalisme. Il a toujours rejeté ce « réalisme "veux-tu un petit café" » qu'on voit dans les téléromans. En effet, un coup d'œil sur les réalisations de Beddows confirme que la science-fiction peut, elle aussi, livrer un commentaire social d'actualité. Tel est le cas de *Safari de banlieue*, mais c'est également celui du *Testament du couturier*.

La deuxième tendance qui caractérise le travail de Beddows, tendance qu'il appelle lui-même « onirique-poétique », exige un travail intensif sur la langue. Il importe peu, d'ailleurs, que le texte de départ soit écrit en anglais ou en français. Le répertoire de ses mises en scène reflète cette polyvalence linguistique : des textes comme *Swimming in the Shallows* d'Adam Bock figurent à côté de textes français ou de textes anglais traduits en français comme *Cette fille-là* (*The Shape of a Girl*) de Joan MacLeod, traduit par Olivier Choinière, ou inversement, des textes français traduits en anglais comme *The Empire Builders* (*Les bâtisseurs d'empire*) de Boris Vian. Quant à cette tendance « onirique-poétique », Beddows la décrit avec une concision limpide : « Je cherche à libérer la langue[5] ». Saisies conjointement, ses réalisations confirment, en fait, que la libération de la langue va de pair avec la recherche constante et rigoureuse d'un espace sacré.

C'est précisément cette fascination pour un espace sacré qui joue dans la scénographie du *Testament du couturier*. Au lever du rideau, une croix rouge dans le mur crénelé s'allume et s'éteint au fond de la scène, évoquant, pour la critique Danièle Vallée, le décor d'un « temple abritant une religion chimérique, tout en triangle comme l'œil de Dieu » (Vallée, 2003 : 41). Le scénographe, Glen Charles Landry, s'est effectivement inspiré d'une église, plus précisément de la Church of Light (Ibaraki Kasugaoka Kyokai Church), œuvre de l'architecte Tadao Ando, située à Osaka au Japon (Beddows, 2005 : n. p.). Mais l'espace dans lequel surgissent les personnages est dénué d'ancrage chronologique et géographique. Ce monde futuriste, qui rappelle davantage celui de la *Handmaid's Tale* de Margaret Atwood que celui des ouvriers et ouvrières de Jean Marc Dalpé, a réussi à mener le théâtre franco-ontarien dans une nouvelle direction[6]. D'abord, il évacue le référent ontarien : le monde aseptisé de la *Banlieue* et la peur de l'avenir remplacent la ville rurale et l'angoisse devant le récit fondateur. Ensuite, le mal qui frappe la communauté n'est plus celui de l'aliénation provoquée par l'oppression socioéconomique et culturelle d'un groupe minoritaire. Celui dont traitent Beddows et Ouellette ressemble ici davantage au mal qui a affligé Œdipe dans *Œdipe roi* de Sophocle et qui a déclenché toute l'action dans ce qui est devenu le prototype de la tragédie en Occident. Nous faisons allusion, bien sûr, à la peste. Par contre, dans la pièce de Ouellette, l'esthétique de l'absurde

---

[5]   Entretien téléphonique avec l'auteure le 23 octobre 2011.
[6]   Voir Nutting (2007).

intervient dans la mesure où la peste n'a plus aucun sens en l'absence de dieux courroucés. Même si l'espace est imprégné de vestiges du sacré, on y fait plutôt le procès de la République et de ses mesures de contrôle qui avaient abouti à l'interdiction de toute relation sexuelle physique. Chez Ouellette, la punition est immanente, pas transcendante, et elle est le résultat de la manie dans la société postmoderne de tout ordonner, de tout médicaliser.

Cette pièce est importante. Elle signale l'abandon du réalisme par le dramaturge et un triomphe pour lui et son metteur en scène vers qui les prix et les éloges ont afflué. Elle a valu à Beddows le Masque de la production franco-canadienne (2004), le Prix théâtre Le Droit (2004) et la Palme de la meilleure mise en scène (2002-2003) du Cercle des critiques de la capitale. À Ouellette, elle a valu le prix Trillium. Mais elle est particulièrement importante ici, car elle exemplifie le croisement de deux esthétiques chez Beddows : d'un côté, elle offre un commentaire social dysphorique sur les fléaux et les phobies modernes ; de l'autre, elle crée un espace atopique et atemporel dans lequel l'art est une question de vie ou de mort.

Ainsi, force est de constater que, dans son ensemble, le répertoire retenu et travaillé par Beddows vise la bourgeoisie – ses névroses, ses excès, son narcissisme. C'est précisément ce procès du narcissisme qui a frappé la critique dans le contexte de *La société de Métis* : « [...] Joël Beddows signe la mise en scène d'une pièce énigmatique où la beauté d'un éden paradisiaque contraste avec la laideur du narcissisme des êtres » (Proulx, 2005 : n. p.). Mais la bourgeoisie visée par Beddows n'est pas aussi simple qu'on pourrait le penser, car son traitement révèle aussi l'ambiguïté des valeurs bourgeoises, dont un côté singulièrement salutaire : l'appréciation de la beauté se présente comme un bien culturel, l'expérience esthétique comme un besoin vital.

Tel est, par exemple, le dessous du thème de *La société de Métis* de Normand Chaurette[7]. Il s'agit du « dessous » parce que le sujet immédiat est tout le contraire : l'intrigue repose sur l'obsession d'une dame riche

---

[7]   *La société de Métis* a été écrite par Normand Chaurette et créée par Beddows en 2005-2006 et encore en 2008 dans une coproduction du Théâtre la Catapulte, du Théâtre français du Centre national des Arts, du Théâtre français de Toronto et du Théâtre Blanc (Québec).

dont la demeure est entourée des jardins somptueux de Métis-sur-Mer. Un jour, elle se rend compte qu'un peintre voisin crée des portraits d'elle et de son entourage d'amis. À partir de ce moment-là, une fixation naît en elle. Envoûtée par l'espèce d'immortalité que l'art seul peut assurer, elle est prête à tout pour se procurer ces tableaux que le peintre refuse de lui vendre. Non seulement cette pièce porte sur la question de la valeur des toiles (et plus généralement de l'art), mais la mise en scène tout entière obéit à une architecture de tableaux. Conçue à partir de cadres en tant qu'objets structurants, la mise en scène a pour effet la construction d'un habitat sculptural. C'est dire que le tableau artistique y est au cœur de l'entreprise esthétique, autant au sens premier qu'au sens figuré.

Même si Beddows met en relief le côté noir de l'esthétisme, il désigne aussi, par une méditation sur l'excès, un paradoxe fondamental :

> La pièce dit surtout qu'une fois que l'art est perverti, il n'existe plus. Il y a beaucoup de façons de pervertir l'art, en faisant en sorte qu'il soit un objet mercantile ; on peut prostituer l'art... L'art est quelque chose de sacré, d'unique, de beau avec un « B » majuscule. Ça nous permet de nous transporter vers d'autres compréhensions de soi-même et de l'autre (Beddows cité dans Proulx, 2005 : n. p.).

Il est donc clair que la démarche de Beddows est fortement liée à son appréciation personnelle des beaux-arts. D'ailleurs, la critique Mélissa Proulx le dit explicitement dans un compte rendu paru dans *Voir* : « Esthète, Joël s'imprègne habituellement d'un artiste-peintre ou d'un tableau en particulier pour en faire la source d'inspiration de sa mise en scène. Pour *Cette fille-là* (2004), William Turner le suivait partout, alors que pour *Le Testament du couturier* (2003), les Riopelle et Roméo Savoie étaient dans son esprit » (Proulx, 2005 : n. p.). Dans ce même entretien, Beddows évoque, quoique d'une manière un peu oblique, le sculpteur Giacometti, en notant que sa vision « structurale » de la mise en scène de *La société de Métis* avait des correspondances avec les « sculptures minimales » de cet artiste.

Plus récemment, la réalisation en 2009 du *Projet Rideau Project*, dont Beddows était l'architecte principal, est un bel exemple de l'amalgame du « théâtre de la société » et du théâtre onirique-poétique au sein du même projet esthétique. La commande originale des trois textes en français et des trois textes en anglais auprès de six auteurs ottaviens avait été faite par Joël Beddows de concert avec la direction artistique du Magnetic

North Theatre Festival (MNTF) et celle de la biennale Zones Théâtrales (BZT) ; mais c'est Beddows qui a assuré le développement de ces mêmes textes ainsi que la direction artistique du projet à la suite du départ de Mary Vingoe de la direction artistique du MNTF et devant la précarité du statut de la biennale Zones Théâtrales alors transférée au bureau de production du Centre national des Arts[8].

La commande originale lancée auprès des dramaturges était simple : il s'agissait d'écrire une pièce de vingt minutes et s'inspirant d'un lieu public du secteur du marché By. Aucune contrainte esthétique ou stylistique ne leur a été imposée, et des mises en lecture des pièces en développement ont été présentées dans le cadre de l'édition 2007 de chaque festival, ce qui a suscité beaucoup d'intérêt pour le projet dans les communautés artistiques et au sein des publics francophones et anglophones d'Ottawa-Gatineau.

Avant la fin de sa réalisation, ce « méga-projet » a mis à contribution 68 artistes et artisans[9], tous établis à Ottawa-Gatineau. Les textes ont été écrits en fonction de « lieux inusités » de la ville d'Ottawa et ont été présentés en juin 2009, puis de nouveau en septembre de la même année dans les mêmes lieux qui ont inspiré leurs auteurs[10]. Dans cha-

---

[8]   Le nouveau directeur artistique du MNTF, Ken Cameron, anglophone unilingue (contrairement à Mary Vingoe), a choisi de simplement présenter le projet puisqu'il n'était pas en mesure d'y contribuer sur le plan artistique. La réorganisation de la BZT a fait que la participation de Paul Lefebvre, le directeur artistique, était discontinue, mais il a contribué au projet pendant les six mois qui ont précédé la création du projet en juin 2009.

[9]   Voici les pièces regroupées sous l'auspice du *Projet Rideau Project* : *Rebut* (*Trash*) (texte de Sarah Migneron, traduction anglaise de Paula Danckert, mise en scène de Joël Beddows) ; *Cercles polaires* (texte de Michel Ouellette, mise en scène de Elif Isikozlu) ; *Bison mystique* (texte de Luc Moquin, mise en scène de Kevin Orr) ; *Pour les touristes* (*Tourist Things*) (texte de Patrick Gauthier, traduction française de Paul Lefebvre, mise en scène de Jean Stéphane Roy) ; *Peace, Land and Bread* (texte de John Ng, mise en scène de Benoit Roy) ; *The Rhyme of the Nicholas Street Gaol* (texte de Pierre Brault, mise en scène de Natalie Joy Quesnel).

[10]   « lieux inusités » vient du descriptif publié sur le site Internet du Théâtre la Catapulte, [http://www.catapulte.ca/index.cfm?Voir=sections&Id=14665&M=3628&Repertoire_No=2137986017]. Il s'agit d'une production du Théâtre la Catapulte en collaboration avec Magnetic North Theatre Festival et Zones théâtrales du Centre national des Arts (CNA) et un partenariat avec le programme d'animation des sites de la Commission de la capitale nationale (CCN). Le *Projet Rideau Project* a été créé dans le cadre du Magnetic North Theatre Festival du 5 au 8 juin et du 11 au 13 juin 2009.

cune des pièces, le site choisi a fondé l'espace dramatique et informé la construction du récit, une démarche qui n'est pas sans rappeler le théâtre de rue. Pensons par exemple aux « déambulatoires audioguidés » d'Olivier Choinière, qui pratique l'inscription de la dramaturgie dans l'espace urbain réel de Montréal et qui brouille à dessein les frontières entre « théâtre » et « tourisme » (Ducharme, 2010 : 85). La pièce *Tourist Things* de Patrick Gauthier (*Pour les touristes*, dans sa version française) justifie à elle seule cette association. Œuvre qui se déroule sous la sculpture de Louise Bourgeois intitulée *Maman*, l'araignée géante qui veille sur l'entrée du Musée des beaux-arts du Canada, cette performance joue sous le regard confondu des touristes qui se pose tantôt sur le monstre en métal (et son sac contenant une centaine d'œufs prêts à éclore !), tantôt sur la basilique Notre-Dame, en face de la promenade Sussex.

Cependant, c'est *Peace, Land and Bread* (texte de John Ng, mise en scène de Benoit Roy) et *The Rhyme of the Nicholas Street Gaol* (texte de Pierre Brault, mise en scène de Natalie Joy Quesnel) qui ont séduit la critique anglophone, surtout Patrick Langston du journal *The Ottawa Citizen*, qui en a fait le compte rendu suivant :

> *The security guard, seated to one side, was hooked. Paper work beckoned, but his eyes kept drifting back to the show. Small wonder: John Ng's mini-play* Peace, Land and Bread, *performed in the lobby of the Conference Centre Friday evening before the guard and a couple of dozen audience members, is riveting. Based on the infamous Canadian Cold War spy case of Igor Gouzenko, it features Nicolas Di Gaeteno [sic] (Gouzenko), Margo MacDonald (Gouzenko's wife) and Andy Massingham (a security guard - which made two in the room). And while lines were occasionally difficult to hear in the high-ceilinged venue, the spot seems custom-made for* Peace, Land and Bread *and its depiction of a well-intentioned man pounding at the door of big, faceless government*[11] (Langston, 2009 : n. p.).

Une reprise a vu le jour dans le cadre des Zones Théâtrales du CNA, les 17, 18 et 19 septembre 2009 et en septembre 2011.

[11]   « Le garde de sécurité, assis d'un côté, était captivé. Du travail administratif l'attendait, mais son regard ne pouvait s'empêcher d'errer en direction de la scène. Cela n'est pas étonnant : la mini-pièce de John Ng, *Peace, Land and Bread*, jouée dans le hall du Centre des conférences vendredi soir pour le garde et deux douzaines de spectateurs, est fascinante. Inspirée du tristement célèbre dossier canadien d'espionnage d'Igor Gouzenko, datant de la guerre froide, la pièce est interprétée par Nicolas Di Gaetano (Gouzenko), Margo MacDonald (la femme de Gouzenko) et Andy Massingham (un garde de sécurité – ce qui en faisait deux dans la salle). Quoique les paroles étaient un peu difficiles à entendre à cause de la hauteur du plafond, l'endroit paraissait fait

Quant à la pièce de Brault, Langston l'a reconnue comme « *[o]ne of the finest pieces in the project*[12] » et un « *model of site-specific theatre*[13] ». Mais ce même critique fait une appréciation plus mitigée de la pièce de Sarah Migneron, mise en scène par Beddows lui-même :

> *Sarah Migneron's* Trash (Rebut), *performed by Tania Lévy and Maxine Turcotte, also needs work. The tale of a homeless violinist in a garbage-strewn area behind Arts Court starts powerfully but meanders. Meant to draw us into the life of some-one we pass by on any city street, the script should have stuck to more narrative, less metaphor*[14] (Langston, 2009 : n. p.).

Cette prescription – « *more narrative, less metaphor*[15] » – atteste le penchant pour l'abstraction chez Beddows (et Migneron aussi, bien sûr), et ce, même en dépit de la matérialité incontestable des déchets qui jonchaient la scène de ce théâtre de rue. En fait, si l'appréciation de Langston confirme, dans un sens, la marque distinctive des mises en scène de Beddows, elle étonne aussi parce que la matérialité du site était quand même très forte. Située dans une ruelle entre la prison et la Cour des arts, *Rebut* a été présentée dans un endroit lugubre et très sale ; on apprend, en lisant l'entretien avec Ruprecht, que « [c]ela sentait l'urine partout » (2010 : 297).

Rien d'aussi sordide dans *Frères d'hiver*, pièce écrite par Michel Ouellette et adaptée par Beddows ; loin s'en faut. Cette pièce, qui est la plus récente, confirme plutôt l'orientation de la trajectoire esthétique de Beddows. Avec elle, Beddows entre de plain-pied dans l'abstraction.

---

sur mesure pour *Peace, Land and Bread* et sa représentation d'un homme rempli de bonnes intentions qui cogne à la porte d'un gouvernent trop gros et sans visage. » (Nous traduisons.)

[12] « l'une des meilleures pièces du projet » (Nous traduisons.)

[13] « un modèle de théâtre *in situ* » (Nous traduisons.)

[14] « La pièce *Rebut (Trash)* de Sarah Migneron, interprétée par Tania Lévy et Maxine Turcotte, a aussi besoin de révision. L'histoire d'une violoniste sans-abri, dans un coin parsemé de déchets derrière la Cour des arts, commence d'une manière saisissante, mais ne tarde pas à traîner. Ayant l'intention de nous attirer dans la vie d'une personne que nous croisons dans une rue quelconque, le scénario aurait dû se borner à la narration plutôt qu'à la métaphore. » (Nous traduisons.) D'après Beddows, les critiques anglophones ont préféré les deux pièces les plus réalistes et les plus linéaires, tandis que les critiques francophones ont aimé davantage les pièces qui étaient plus oniriques. Après avoir lu la critique de Langston, Anne Michaud de Radio-Canada a fait un commentaire en onde qui allait aussi dans ce sens.

[15] « plus de narration, moins de métaphore » (Nous traduisons.)

Michel Ouellette, *Frères d'hiver*, adaptation, avec Marie Claude Dicaire, et mise en scène de Joël Beddows, coproduction le Théâtre la Catapulte et la Chaire de recherche sur la francophonie canadienne (pratiques culturelles), présentée à la soirée d'ouverture de la biennale Zones théâtrales, Centre national des Arts (Ottawa), septembre 2011. Comédiens : Pierre Simpson (dans le rôle de Pierre), Alain Doom (Paul) et Lina Blais (Wendy) (photographe : © Sylvain Sabatié).

Dans sa forme originale, *Frères d'hiver* était une œuvre poétique qui n'était pas conçue pour la scène, mais Beddows, assisté de Marie Claude Dicaire, en a entrepris l'adaptation dramaturgique et l'a montée à Ottawa au Théâtre la Catapulte en septembre 2011 après qu'elle eut tenu l'affiche dans le cadre de la biennale Zones théâtrales 2011[16]. Cette production, qui a mûri pendant des années, serait, au dire du metteur en scène, sa pièce « la plus aboutie » (Beddows, 2011). Le texte puise ses origines dans une « œuvre polyphonique » publiée par Ouellette en 2006 et adaptée à la scène par Beddows cinq ans plus tard. Ou peut-être est-il plus juste de dire « adaptée *pendant* cinq ans », car Beddows a abandonné le projet cinq fois

---

[16]   Une production du Théâtre la Catapulte en partenariat avec la Chaire de recherche sur la francophonie canadienne (pratiques culturelles) de l'Université d'Ottawa. La pièce a tenu l'affiche du 21 septembre au 1er octobre 2011 à La Nouvelle Scène ; l'interprétation a été assurée par Lina Blais, Alain Doom et Pierre Simpson.

avant son éventuelle réalisation. Il a affirmé récemment que le projet lui avait fait « trop peur » et que ce n'était qu'après l'arrivée de Marie Claude Dicaire (une de ses anciennes étudiantes) et de son collègue Daniel Mroz à la chorégraphie qu'il a compris que le projet était possible (Beddows, 2011). Sans doute, cette trépidation qui a marqué la démarche créative était-elle attribuable en partie à la forme très littéraire du texte de départ. Or, si la nature poétique du récit est évidente, Ouellette affirme, dans un entretien avec Marie-Pierre Proulx, que le spectacle est plus que de la simple poésie déclamée sur scène : « Même si ce n'est pas du théâtre habituel, ça demeure du théâtre » (Ouellette, 2011b).

Enfin, le pari risqué a fini par rapporter gros. Au printemps 2012, Beddows et son équipe ont dominé la remise des prix Rideaux avec pas moins de quatre récompenses sur huit dans la catégorie des productions de langue française (production de l'année, mise en scène de l'année, conception de l'année et nouvelle création de l'année). En même temps, une concordance remarquable s'est produite, qui confirme la place qu'occupe le metteur en scène dans le milieu théâtral d'Ottawa : Joël Beddows a reçu le prix de la meilleure mise en scène *en anglais* pour *The Lavender Railroad* en même temps que celui de la meilleure mise en scène *en français* pour *Frères d'hiver*.

Revenons à la facture de la pièce en question. L'action dramatique est restreinte : dans une morgue à Toronto, Pierre est venu identifier le corps de son frère, Paul. Grâce à la « muse » de Paul, Wendy, il découvre alors un frère qu'il n'avait jamais connu auparavant. Cette dynamique triangulaire de personnages est d'ailleurs mise en valeur par le programme : « Ce texte polyphonique du même auteur que *Le Testament du couturier* est un hommage à la création, un chassé-croisé entre trois âmes à la recherche de sens et de beauté afin de se libérer d'un rapport torturé à l'existence. Une œuvre énigmatique servie par de grands créateurs de la région » ([Anonyme], 2011). Le tandem Ouellette-Beddows livre un univers ciselé par le tourment et baigné par une lumière salvatrice. Ici, l'art rappelle le « *Trost* » envisagé par Nietzsche dans *La naissance de la tragédie* quand le philosophe affirmait que l'art était un baume métaphysique.

C'est certainement la contemplation de la beauté qui apaise, et *Frères d'hiver* se joue devant un énorme écran sur lequel est projeté un très beau jeu d'images, création du vidéaste Phil Rose qui a tourné des images de la baie James et de l'Outaouais et les a traitées à l'aide de divers logiciels afin de les rendre plus abstraites. En fait, la conception des éclairages et des images retravaillées est la seule concession que Beddows fait à la nordicité : les lumières rappelleraient la palette de couleurs de la lumière du nord de l'Ontario et celle de l'Irlande, où Beddows a séjourné six mois en 2010-2011 en résidence de création après avoir quitté la direction de La Catapulte. C'est Beddows lui-même qui a confirmé cette association lors du souper qui a précédé le spectacle à La Nouvelle Scène. Invité par le directeur artistique actuel de La Catapulte, Jean Stéphane Roy, à choisir trois mots pour décrire la pièce, il a éveillé la curiosité des convives quand il a déclaré : « parole, lumière, gêne (la mienne). »

Bien sûr, le choix du mot « parole » n'étonne pas. La pièce tout entière porte sur la venue à la poésie et propose la poésie comme mode d'emploi pour la vie. Autrement dit, c'est ici que la libération de la langue trouve son expression la plus pure. Les répliques, livrées par Lina Blais, Alain Doom et Pierre Simpson, sont denses, lyriques et exigeantes, autant pour les spectateurs que pour les comédiens. Elles ressemblent par moments à une chorégraphie sonore très complexe, ce qui ressort à la lecture du prologue du texte poétique :

> PAUL
> Si j'étais deux dans ce corps
> Sous cette peau, derrière l'image
> Si l'autre était le silencieux qui refusait de naître
> Si je n'étais pas le roi, mais le vassal de celui qui est mais qui
> se tait
> Si j'étais deux ainsi
> Je cesserais de m'agiter
> J'entrerais dans la terre pour laisser l'autre faire
> Il vivrait là où je m'efforce de mourir sans y parvenir
> Si j'étais l'autre
> Si j'étais
> Je
> Oui,
> Je (Ouellette, 2011a)

La justesse du deuxième mot de la série est claire aussi. La lumière, toute en douceur – du rose et du bleu hivernaux –, rappelle les paysages de Jean-Paul Lemieux, peintre québécois connu pour la beauté laiteuse de ses horizons d'hiver. Mais au dire de Beddows, c'est surtout les œuvres du peintre russo-américain Mark Rothko qui ont influencé l'esthétique de cette production.

Enfin, c'est le troisième élément de la suite – « gêne (la mienne) » – qui surprend et qui révèle la part intime de la démarche de Beddows : « J'ai l'impression que vous entrez dans notre intimité », a-t-il précisé alors. Nous apprenons par la suite qu'il a un frère militaire, conservateur, qui mène une vie qui est aux antipodes de sa vie à lui, et qu'une rupture semblable aurait pu leur arriver à eux aussi. Vraisemblablement, la hantise de la rupture dans le rapport fraternel peut prendre plusieurs formes.

Mais ce serait une erreur de penser que cet aveu implique le retour au jeu psychologique. Au contraire, le « *method acting* » ou tout autre genre d'examen psychologique poussé sont rigoureusement exclus. Sans cela, l'affirmation « Je libère la langue » aurait un tout autre sens. « Les comédiens sont comme des pages blanches », confie-t-il lors d'un entretien téléphonique récent (Beddows, 2011), ne laissant ainsi aucun doute sur le rôle de poète qu'il assume. D'ailleurs, Lina Blais a affirmé, lors de la causerie qui a suivi la représentation de *Frères d'hiver*, que le type de jeu recherché par Beddows était physiquement et mentalement très exigeant et qu'il nécessitait une grande disponibilité de la part des comédiens. L'analogie du poète n'est donc pas excessive. En fait, elle n'est même pas entièrement métaphorique, car Beddows a déjà écrit un recueil de poésie qui porte très précisément sur le théâtre[17] !

Agent double, donc, pour cette raison encore. Aussi poésie et théâtre se répondent-ils et se nourrissent-ils l'un l'autre au point de devenir indissociables. Voilà sans doute ce qui explique pourquoi le théâtre de Samuel Beckett occupe une place si importante dans l'imaginaire du metteur en scène. Anglophone irlandais qui écrivait en français, poète de la solitude qui arrachait de la langue une beauté et une destructibilité terribles, Beckett a tout le profil d'un maître à penser. La preuve, Beddows signe, en janvier 2011, la mise en scène de *Happy Days (Oh les beaux jours)* en Irlande du Nord[18].

---

[17]   Il est question, bien sûr, des poèmes qu'il a écrits pour le livre d'art *Des planches à la palette,* en collaboration avec l'artiste Suzon Demers (2004).

[18]   Cette pièce a été présentée au Foyle Arts Centre à l'Université d'Ulster (Derry, Irlande du Nord).

À l'instar de Beckett, Beddows fait de ses personnages des « purs êtres de langage[19] » et, toujours comme Beckett, il interroge les représentations de la masculinité[20]. Qui pourra, en effet, oublier le corps trapu d'Alain Doom dans *Frères d'hiver*? Vêtu d'une robe blanche dont la coupe féminine était étrangement triangulaire, il évoluait nu-pieds dans cet habit à la fois contraignant et lumineux. Ou encore, qui n'a pas été séduit par la prestation électrisante d'une Annick Léger chauve qui a incarné pas moins de cinq personnages – femmes et hommes – dans *Le testament du couturier*? En fin de compte, ces « purs êtres de langage » évoquent moins le clownesque vaguement sinistre que l'on associe parfois à l'esthétique beckettienne qu'une espèce d'angélisme ténébreux et androgyne. L'immense robe blanche du *Testament du couturier*, dont de grands pans étaient suspendus aux murs de la scène, était non seulement une merveille architecturale, mais elle a aussi confirmé une pratique : donner corps aux mots veut dire, chez Beddows, les incarner et les habiller de vêtements ambigus. En fait, il n'est pas inutile de rappeler qu'à la fin de sa mise en scène du *Testament du couturier*, il y avait des projections de mots en rouge sur le blanc de la robe[21]. Les costumes de *La société de Métis* étaient confectionnés, eux aussi, d'un tissu blanc. D'une coupe ajustée mais plutôt raide, avec d'innombrables plis le long d'une raie verticale qui commençait au col et qui allait jusqu'au bas du vêtement, ils avaient une longue tache rouge à la hauteur de la poitrine qui, depuis le fond de la salle, ressemblait à une balafre. Il n'est pas inutile de noter que Beddows a aussi habillé ses personnages en blanc dans une mise en scène d'*Entrailles* de Claude Gauvreau. Que dire de ce cas de figure, et de la robe blanche en général, qui revient hanter ses mises en scène? Peut-être serait-il légitime de penser que la « page blanche » évoquée par Beddows en entrevue est bien plus tangible que l'on a pu le penser *a priori*. Ainsi, on peut constater à quel point cette opération double de poète / metteur en scène informe toute sa pratique. Par ailleurs, les êtres androgynes ne sont-ils pas, eux aussi, des agents doubles?

---

[19] L'expression est de Jean-Pierre Sarrazac (2012).

[20] Je tiens à remercier François Paré qui m'a incitée à réfléchir sur cette question dans le cadre du colloque de l'Association for Canadian Studies in the United States (ACSUS) en novembre 2011.

[21] Selon Beddows, l'idée originale qui a soutenu cette image était « de marier l'idée de la parole et la Salgue de Sudbury » (correspondance inédite avec l'auteure).

Claude Gauvreau, *Les entrailles,* mise en scène de Joël Beddows, coproduction le Théâtre la Catapulte et Scène Québec du Centre national des Arts, en collaboration avec L'Espace Libre (Montréal), avril 2007. Comédiens : Patricia Ubeda, Evelyne Rompré, Annick Léger et Hugues Fortin (photographe : © Benjamin Gaillard).

Normand Chaurette, *La société de Métis*, mise en scène de Joël Beddows, coproduction le Théâtre la Catapulte, le Théâtre français de Toronto, le Théâtre Blanc (Québec) et le Théâtre français du Centre national des Arts, novembre 2005. Comédiennes : Lina Blais (dans le rôle de Paméla) et Érika Gagnon (Madame Pé) (photographe : © Alexandre Mattar).

Mais la clé de sa démarche de poète / metteur en scène se trouve dans un petit poème qui fait partie du recueil *Des planches à la palette* :

> né au bord d'un lac
> grandit au bord d'une rivière
> en écoutant les langues des voisins
> se découvre conteur
> en écoutant les cloches
> de minuit
> de cette ville devenue *home*
> Soif de partager
> Les histoires et l'Histoire
> Je n'improvise jamais
> J'algèbre le théâtre
> … le plus souvent possible (Beddows, 2004 : n. p.).

En devenant verbe, le mot « algèbre » signale à la fois une praxis (donc agentification) et une opération de substitution active. Avec l'algèbre, on substitue aux nombres réels des lettres. Avec le théâtre « algébré » de Beddows, le spectacle dramatique subit toute une série de substitutions. À la langue orale du nord de l'Ontario s'est substituée une poésie châtiée et rédemptrice qui déploie les lettres d'un code français universel ; à la référentialité géographique qui avait marqué autrefois le théâtre identitaire, des lieux dépouillés et oniriques. (Même *Rebut*, malgré la grande matérialité qu'impose sa forme de théâtre de rue, n'échappe pas à la poussée vers l'abstraction.) Finalement, on voit que cette tendance « onirique-poétique » s'est accentuée au fil des ans et on serait en droit de se demander si elle va bientôt éclipser l'autre pratique, le théâtre dit « de la société », qui s'était développée en parallèle pendant un moment mais qui s'est estompée avec la mise en scène de *Frères d'hiver*. Ce choix avait tout l'air d'un pari. Sans doute ce pari Beddows l'a-t-il fait dans l'espoir que le public franco-ontarien soit de plus en plus friand d'expériences esthétisantes et qu'il sache déchiffrer son bel algèbre subtil. Vu la réception critique de *Frères d'hiver*, il est clair que la critique francophone du milieu sait bien le faire.

Annexe – Mises en scène de Joël Beddows (1998-2012)

Titre	Auteur	Production et coproduction	Date
East of Berlin	Hannah Moscovitch	Great Canadian Theatre Company (Ottawa)	mars 2012
Frères d'hiver	Michel Ouellette, adaptation : Joël Beddows et Marie Claude Dicaire	Théâtre la Catapulte (Ottawa) et Chaire de recherche sur la francophonie canadienne (pratiques culturelles)	septembre 2011
The Lavender Railroad	Lawrence Aronovitch	Evolution Theatre (Ottawa)	mai 2011
Happy Days (Oh les beaux jours)	Samuel Beckett	Foyle Arts Centre, Université d'Ulster (Derry, Irlande du Nord)	janvier 2011
Swimming in the Shallows	Adam Bock	Cour des arts (Ottawa)	août 2010
Rage	Michele Riml, traduction : Sarah Migneron	Théâtre la Catapulte et la Scène Colombie-Britannique (BC Scene) du Centre national des Arts (CNA)	2010-2012
Rebut (Trash)	Sarah Migneron, traduction : Paula Danckert (jouée dans les deux langues)	L'une des six pièces du Projet Rideau Project / Théâtre la Catapulte, Magnetic North Theatre Festival (MNTF), biennale Zones Théâtrales (BZT) et Chaire de recherche sur la francophonie canadienne (pratiques culturelles)	septembre 2009 (BZT) / juin 2009 (MNTF)
The Empire Builders (Les bâtisseurs d'empire)	Boris Vian	Empire Builders Collective (Ottawa) et Third Wall Theatre (Ottawa)	février 2008
Le chien	Jean Marc Dalpé	Théâtre du Nouvel-Ontario (Sudbury)	septembre-octobre 2007
Les entrailles	Claude Gauvreau	Théâtre la Catapulte et Scène Québec du CNA, en collaboration avec L'Espace Libre (Montréal)	avril 2007
Apocalypse à Kamloops	Stephan Cloutier	Théâtre la Catapulte, Théâtre français de Toronto et Théâtre la Seizième (Vancouver), avec l'appui du Théâtre français du CNA	janvier-mars 2007
Exit(s)	Luc Moquin	Théâtre la Catapulte et Théâtre du Nouvel-Ontario (Sudbury), en collaboration avec le Théâtre français du CNA, le Centre culturel Frontenac (Kingston), le Centre culturel La Clé d'la Baie (Penetanguishene) et le Conseil des Arts de Hearst	avril-mai 2006
La société de Métis	Normand Chaurette	Théâtre la Catapulte, Théâtre français de Toronto, Théâtre Blanc (Québec) et Théâtre français du CNA	2005-2008
Cette fille-là (The Shape of a Girl)	Joan MacLeod, traduction : Olivier Choinière	Théâtre la Catapulte, Théâtre la Seizième (Vancouver) et Théâtre français du CNA	2004-2008
Le complexe de Thénardier	José Pliya (mise en lecture)	Théâtre anglais et Théâtre français du CNA	novembre 2003
Victor Hugo, acteur politique	Victor Hugo, collage de textes (mise en lecture)	Théâtre français du CNA	février 2003
Le testament du couturier	Michel Ouellette	Théâtre la Catapulte et Théâtre français du CNA	2003-2005
Safari de banlieue	Stephan Cloutier	Théâtre la Catapulte et Théâtre français du CNA	2001-2005
Fasis : chroniques de la démesure	Richard J. Léger	Théâtre la Catapulte	1999-2001

BIBLIOGRAPHIE

[ANONYME] (2011). Programme de *Frères d'hiver* de Michel Ouellette, production du Théâtre la Catapulte.

BEDDOWS, Joël (2002). « Mutualisme esthétique et institutionnel : la dramaturgie franco-ontarienne après 1940 », dans Lucie Hotte (dir.), *La littérature franco-ontarienne : voies nouvelles, nouvelles voix*, Ottawa, Le Nordir, p. 51-73.

BEDDOWS, Joël (2003a). « *Hawkesbury Blues* de Jean Marc Dalpé et Brigitte Haentjens », dans Aurélien Boivin (dir.), *Dictionnaire des œuvres littéraires du Québec*, t. VII : *1980-1985*, Montréal, Éditions Fides, p. 426.

BEDDOWS, Joël (2003b). « *Nickel* de Jean Marc Dalpé et Brigitte Haentjens », dans Aurélien Boivin (dir.), *Dictionnaire des œuvres littéraires du Québec*, t. VII : *1980-1985*, Montréal, Éditions Fides, p. 640-641.

BEDDOWS, Joël (2004). *Des planches à la palette*, tableaux de Suzon Demers, Sudbury, Éditions Prise de parole.

BEDDOWS, Joël (2005). Entretien avec Stéphanie Nutting, 5 mars.

BEDDOWS, Joël (2011). Entretien avec Stéphanie Nutting, 23 octobre.

BERTRAND, François (2004). « Les francophones de la ville d'Ottawa (Ontario) : profil statistique », avec la collaboration de Sophie LeTouzé, Ottawa, Centre interdisciplinaire de recherche sur la citoyenneté et les minorités (CIRCEM), Université d'Ottawa, [En ligne], [http://www.socialsciences.uottawa.ca/circem/pdf/profils/Ville-Ottawa-2004.pdf] (10 novembre 2011).

CHAURETTE, Normand (1983). *La société de Métis*, Montréal, Éditions Leméac.

CHEVRIER, Michel (2009). *The Oral Stage: a Comparative Study of Franco-Ontarian Theatre from 1970 to 2000*, Saarbrücken, VDM, 2009.

DALPHOND, Claude Edgar, et Claudine AUDET (2004). « Chapitre 9 : Les pratiques cultu-relles dans la région de Montréal », dans Ministère de la Culture et des Communications du Québec, *Enquête sur les pratiques culturelles au Québec*, le Ministère, p. 335-376, [En ligne], [http://www.mcc.gouv.qc.ca/fileadmin/documents/publications/Enquete_pratiques_culturelles/Chap9_pratiques_culturelles_regionMontreal.pdf] (19 février 2012).

DUCHARME, Francis (2010). « Quand le théâtre joue à se prendre pour du tourisme : les déambulatoires audioguidés d'Olivier Choinière », *L'Annuaire théâtral*, n° 47 (printemps), p. 85-101.

LANGSTON, Patrick (2009). « Theatre Review: The Rideau Project », *The Ottawa Citizen*, 6 juin, [En ligne], [http://www.ottawacitizen.com/entertainment/story.html?id=1670472].

Moss, Jane (2000). « Le théâtre franco-ontarien: Dramatic Spectacles of Linguistic Otherness », *University of Toronto Quarterly*, vol. 69, n° 2, p. 587-614.

Moss, Jane (2010). « Le théâtre francophone en Ontario », dans Lucie Hotte et Johanne Melançon (dir.), *Introduction à la littérature franco-ontarienne*, Sudbury, Éditions Prise de Parole, p. 71-111.

Nietzsche, Friedrich ([1872] 1940). *La naissance de la tragédie*, traduit de l'allemand par Geneviève Bianquis, Paris, Gallimard.

Nutting, Stéphanie (2007). « Le théâtre et sa doublure : *Le testament du couturier* de Michel Ouellette », *Theatre Research in Canada/Recherches théâtrales au Canada*, vol. 28, n° 1, [En ligne], [http://journals.hil.unb.ca/index.php/TRIC/article/view/11106/11790] (10 novembre 2011).

Nutting, Stéphanie, et François Paré (dir.) (2007). *Jean Marc Dalpé : ouvrier d'un dire*, Sudbury, Éditions Prise de parole.

Ouellette, Michel (2006). *Frères d'hiver*, Sudbury, Éditions Prise de parole.

Ouellette, Michel (2011a). *Frères d'hiver*, en collaboration avec Joël Beddows, texte dramatique inédit.

Ouellette, Michel (2011b). « Autrement : une rencontre avec Michel Ouellette », propos recueillis par Marie-Pierre Proulx, dans [Anonyme], Programme de *Frères d'hiver* de Michel Ouellette, production du Théâtre la Catapulte.

Paiement, André (2004a). « Moé j'viens du Nord, 'stie », dans *Les partitions d'une époque : les pièces d'André Paiement et du Théâtre du Nouvel-Ontario (1971-1976)*, vol. 1, préface de Joël Beddows, Sudbury, Éditions Prise de parole, coll. « Bibliothèque canadienne-française ».

Paiement, André (2004b). « Lavalléville », dans *Les partitions d'une époque : les pièces d'André Paiement et du Théâtre du Nouvel-Ontario (1971-1976)*, vol. 2, préface de Joël Beddows, Sudbury, Éditions Prise de parole, coll. « Bibliothèque canadienne-française ».

Proulx, Mélissa (2005). « Joël Beddows : le jardin aux portraits », *Voir*, édition Gatineau/Ottawa, 17 novembre, [En ligne], [http://voir.ca/scene/2005/11/17/joel-beddows-le-jardin-aux-portraits/], (17 novembre 2011).

Ruprecht, Alvina (2010). « Le théâtre franco-ontarien : entretien avec Joël Beddows, directeur artistique du Théâtre la Catapulte, Ottawa, Canada », *International Journal of Francophone Studies*, vol. 13, n° 2 (octobre), p. 287-314, [En ligne], [http://www.intellectbooks.co.uk/journals/view-journal,id=134/] (10 février 2012).

Sarrazac, Jean-Pierre (2012). « Samuel Beckett », dans *Encyclopædia Universalis*, [En ligne], [http://www.universalis.fr/encyclopedie/samuel-beckett/] (3 février 2012).

Vallée, Danièle (2003). « Le Théâtre la Catapulte présente *Le testament du couturier :* une surprenante confection théâtrale cousue de fil noir », *Liaison*, n° 119 (été), p. 40-41.

Hédi Bouraoui
ou le discours identitaire transfrontalier

Noureddine Slimani
Université Sorbonne-Paris IV

ABORDER LE DISCOURS IDENTITAIRE dans l'écriture d'Hédi Bouraoui fait surgir indubitablement l'ensemble des problématiques liées à l'acculturation, des problématiques incessamment remises à l'ordre du jour, tant la porosité des frontières déstabilise les certitudes identitaires et rend visibles les différentes postures qui se dessinent dans l'interférence des cultures et qui peuvent relever de l'*inter-*, du *multi-* ou du *trans*-culturel. L'écrivain venu d'ailleurs remodèle les horizons d'attente du lecteur et réoriente ses interprétations vers de nouvelles grilles de lecture. Il ouvre le champ littéraire local sur des perspectives inédites, devenant ainsi initiateur de débats sur l'identité et l'appartenance. Les appellations servant à le nommer, vagues et généralisantes dans la plupart des cas, sont autant de signes qui reflètent encore davantage l'aspect problématique de ce qu'il soulève comme questionnement sur l'identitaire. L'écriture d'Hédi Bouraoui, écrivain franco-ontarien d'origine tunisienne, fournit, dans ce sens, une matière à réflexion riche tant par l'entrecroisement des considérations socioculturelles qui la sous-tendent que par l'expérimentation des formes dont elle fait état. Les pistes de lecture que son œuvre explore recentrent différentes problématiques liées aux transferts culturels. En se positionnant ainsi, toute œuvre littéraire, à l'instar de celle d'Hédi Bouraoui, flirte avec des lignes de risque qui l'exposent aux aléas de la catégorisation et ses pouvoirs d'inclusion / exclusion. Nous interrogerons ici une fiction des limites qui conteste sa simple lecture comme récit de l'identitaire, en revendiquant le droit d'être considérée en dehors de toutes les ethnicisations ou de toutes les conceptions restreintes, territoriales ou nationales ; ce qui équivaudrait à réagir à une indifférenciation des appartenances tout en s'inscrivant dans une dynamique culturelle synonyme de l'additionnement des cultures.

Une des spécificités de l'écriture dite *migrante* ou *de la diaspora* est de s'inscrire dans un croisement de cultures, trait distinctif majeur qui relèverait d'emblée des perspectives d'analyse de l'entre-deux et du transculturel. Dans le cas d'Hédi Bouraoui, la question s'en trouve d'autant plus complexifiée qu'elle va au-delà des trois zones géographiques auxquelles cet écrivain appartient : la Tunisie, pays de naissance, la France, où il a suivi son éducation, et le Canada, son pays d'adoption depuis plus de quarante ans. Nous assistons, dans son cas, à une écriture qui se projette au-delà des appartenances géographiques et des présupposés identitaires. Son œuvre est animée d'une dynamique transculturelle qui prône l'additionnement des cultures comme le corollaire de toute identification.

Par ailleurs, la praxis littéraire bouraouienne édifie un rapport de différenciation envers la langue d'écriture, le français, qui devient alors champ d'expérimentation (néologismes, jeux de mots), ce qui définit un rapport renouvelé à la langue, dès lors réinventée et réinscrite dans le champ d'une réceptivité ouverte :

> En ce qui me concerne, je me suis positionné dans l'écriture interstitielle laissant sa *béance* se déployer en toute liberté, bordée, cependant, par plusieurs cultures différentes les unes des autres. La multiplicité substantielle revendiquée me permettait d'occulter ladite binarité infernale France-Maghreb. J'ouvrais ainsi l'espace scripturaire à diverses langues et civilisations, arrachant le corps textuel à ses contingences nationalistes (Bouraoui, 2005 : 97).

Chez Bouraoui, le nomadisme n'est pas seulement un déplacement dans l'espace, mais aussi et surtout un élan créateur, une attitude critico-créatrice, ce que résument bien certains concepts opératoires propres à l'écrivain. En effet, le terme de *nomaditude* désigne notamment un état de disponibilité créatrice porté par une transculturalité défiant toutes frontières géographiques ou mentales : « La nomaditude déconstruit donc la binarité infernale du centre versus périphérie, le majoritaire versus le minoritaire, l'omnipuissant versus le marginal, le monde extérieur versus le monde intérieur. Livre mosaïque qui tente de saisir la dynamique écrivante incluant son propre processus créateur, sa poïétique » (Bouraoui, 2005 : 135-136). L'éloge du nomadisme, qui se trouve au cœur de la réflexion d'Hédi Bouraoui, ébranle donc continuellement les certitudes du lecteur quant aux présupposés identitaires définis par les limites territoriales. L'*orignalitude,* autre concept mis de l'avant par l'écrivain, ne vise pas un universalisme abstrait, inodore et incolore; il tend plutôt à abolir les frontières culturelles qui cloisonnent les identités, non pas pour les annuler, mais pour les rendre perméables de part et d'autre sans pour autant faire perdre ce qui fait l'originalité de chacune :

> Nous n'avons pas affaire à une catégorie critique mais plutôt à une métaphore vive de création [...]. Le référent réel[1] se transpose ainsi dans la représentation métaphorique du corps-textuel. Le référent concret se déplace dans le symbolique, ce qui fait l'essence même de toute littérature : dynamisme du sens et métamorphose interprétative. Ainsi se légitime l'espace du déroulement du texte – toujours en errance, toujours écriture migratoire – par la métaphore d'un illimité spatial et poïétique, des échos identitaires et de leurs traces littéraires. Métaphore qui structure et déconstruit en même temps le corps textuel, la vision conceptuelle et la projection de sa territorialisation. Déconstruction systématique qui ouvre les débats et approches interprétatives tout en nous sortant de l'enfermement de l'ethnocentrisme ou de n'importe quelle centralité (Bouraoui, 2005 : 135-136).

L'additionnement des cultures rend non pertinente toute analyse qui serait fondée sur le retour ou la nostalgie ou encore moins l'exil. Tel est le premier postulat qui se confirme et d'emblée conditionne notre analyse de l'œuvre d'Hédi Bouraoui.

De prime abord, se trouvent ainsi actualisés tous les systèmes de catégorisation qui permettent de classer tel écrivain ou son écriture. Le passage suivant extrait de son roman *Méditerranée à voile toute*, troisième volet de sa trilogie méditerranéenne, nous le confirme : « Je déteste la marge et le centre. Je ne veux faire partie d'aucun ghetto car je ne me reconnais ni dans l'exil ni dans l'aliénation » (Bouraoui, 2010 : 68). La particularité chez Hédi Bouraoui demeure cette *transhumance* de l'écrivain qui le met en présence de multiples foyers institutionnels et une volonté de sortir des sentiers battus de la création. Les puissantes interférences culturelles dont son œuvre fait l'objet révèlent une volonté de sortir la fiction de toute obédience exclusive à une référence monoculturelle une et unique. En sont l'illustration les déambulations de Virgile dans *Bangkok Blues*, roman ancré dans l'espace asiatique traversé par des réflexions qui touchent le Maghreb, l'Amérique du Nord et l'Europe. *Ainsi parle la Tour CN*, qui touche à la sphère canadienne, repense les limites du multiculturalisme, loin des débats passionnés relevant de la

---

[1]   À la page 134 de *Transpoétique : éloge du nomadisme*, Hédi Bouraoui fait référence à la description que donne Chateaubriand de l'orignal, cet animal typique des régions du Nord canadien : « L'orignal a le mufle d'un chameau, le bois plat du daim, les jambes du cerf. Son poil est mêlé de gris, de blanc, de rouge, de noir ; sa course est rapide. »

méprise ou de l'éloge; *Retour à Thyna* interroge la réalité maghrébine et son hétérogénéité historique et met en avant la diversité culturelle en revisitant la mémoire archéologique et en révélant les désenchantements relatifs à la période des indépendances. Ce sont là des contextes que ces œuvres cherchent à représenter dans une dynamique transversale qui ouvre l'espace de fiction sur une possible *transculturalité*.

Interstitielle, l'œuvre d'Hédi Bouraoui épouse en outre une démarche créatrice où l'origine devient une composante à *transvaser* au sein d'autres cultures :

> Au colloque de Vinneuf en France, en 1989, j'ai lancé la notion de *béance*, c'est-à-dire l'ouverture et sa disponibilité, le chiasme entre deux, trois ou plusieurs cultures. La béance emprunte alors aux valeurs culturelles qui l'entourent et présente un espace de gestation en perpétuel mouvement, comme dans toute poïétique, comme dans toute vie. Ceci a donné naissance à ma notion d'*écriture interstitielle* (Bouraoui, 2000 : 16).

Hédi Bouraoui fait partie de ces écrivains qui s'étonnent de se voir considérés comme « migrants » tout autant qu'ils contestent la tendance de la critique à ne voir dans leurs écritures qu'un fond ethnique ou identitaire. Son écriture se veut délibérément dé-centrée. Elle nous invite à repenser les avenues de la réception du texte, considéré indépendamment de la mécanique qui rattache fatalement l'œuvre à l'écrivain. Le discours critique, tout en présentant des sentiers de lectures possibles du corpus littéraire d'écrivains ayant l'immigration en partage, réserve néanmoins à cette même littérature des grilles de lecture qui ne retiennent que les catégories de l'identitaire, la mémoire, l'exil, toutes liées à l'expérience de l'immigration et du déplacement. Il en serait ainsi du voyage et de l'errance. « Ces thèmes viennent en sorte assez naturellement dans l'écriture migrante. Mais l'espace et le voyage sont traités non pas sous l'angle du récit de voyage traditionnel (rencontre, confrontation), du roman d'aventure classique, mais sous celui de la réminiscence, du retour en arrière, de la recherche des sources, des racines, de la quête d'identité dans une situation d'émigration / immigration qui l'a rendue problématique » (Moisan et Hildebrand, 2001 : 246).

L'ouverture de l'écriture sur une pluralité de territoires imaginaires au sein de la culture suffit-elle à l'admettre comme « naturellement migrante » ? Des romanciers comme Jacques Poulin dans *Volkswagen blues*, Marie-Claire Blais dans *Soifs*, Jacques Godbout dans *Une histoire américaine* sont-ils tout autant migrants au vu de l'ancrage de leurs romans au-delà des frontières géographiques du Québec?

Dans son analyse des œuvres de trois écrivains du Canada anglophone (Robert Dickson, Margaret Michèle Cook et Nathalie Stephens) ayant fait le choix d'écrire en français en Ontario, François Paré pose la question identitaire en termes de *devenir* : « Pour *devenir écrivain franco-ontarien*, il faut d'abord faire le choix de la langue. Plus tard, d'autres facteurs institutionnels entreront en jeu, mais l'écrivain transfuge est d'abord un converti de la langue, cette conversion prenant chez lui valeur d'exemplarité pour toute la culture confinée à la marginalité et menacée de disparaître » (Paré, 2002 : 134). Avoir la langue en partage serait donc une condition nécessaire mais non suffisante. Les facteurs institutionnels demeurent déterminants dans la logique de classification, d'exclusion ou d'inclusion. Plusieurs noms d'écrivains d'origine étrangère (Eugène Ionesco, Samuel Beckett, Marguerite Yourcenar, Françoise Mallet-Joris, Julien Green, Joseph Kessel, etc.) sont généralement cités comme faisant incontestablement partie de la littérature française. Il est vrai, au demeurant, que le corpus des écrivains qui ont l'immigration en partage fait état d'une variété de visions et d'expériences qui empêche, fort heureusement, de les soumettre à des grilles de lecture homogénéisantes, ce que montre bien Joël Des Rosiers dans sa lecture du Québec contemporain :

> Nous avons grandi au Québec de sorte que notre relation affective avec cette terre est marquée par cette imprégnation-là. En 1986, je déclarais : « Nous sommes des Québécois pure laine crépue. » Ce qui signifie que le Québec est aussi notre pays. Nés ici ou arrivés à un âge précoce, nous avons vécu une expérience de la migration et de la société canadienne totalement différente de ceux qui immigrèrent adultes. Nous réclamons notre appartenance au Québec autant que nos racines dans la Caraïbe : nous Haïtiens québécois. Nous n'entendons pas être des citoyens de seconde classe au Québec » (Des Rosiers, 1996 : 181-182).

L'inscription de l'écriture dans une identité plurielle entraîne certainement une désarticulation de la vision monoculturelle de l'appartenance identitaire. Et, corrélativement, elle interroge la « sociativité », selon l'expression d'Élizabeth Lasserre, « cette fonction du texte qui vise à la construction de la communauté dont il est issu et qui forme son contexte » (Lasserre, 2000 : 35).

Le défi de la pluralité pousse à réinterroger l'écriture au-delà de ses limites ethniques et territoriales. Cette démarche la place inévitablement dans cette « zone de risque » qui relègue le « mineur » à la marge. De mineure à minorée, il n'y a qu'un pas que l'écriture franchit en s'inscrivant (dans le cas d'Hédi Bouraoui) non pas dans la marginalité, mais dans une béance, « un état de disponibilité et de dynamisme potentiel qui sollicite une complétude créatrice » (Bouraoui, 2005 : 32). L'exclusion des écrivains venus d'ailleurs du corpus « national » passe par un ensemble de désignations creuses comme celles d'écrivain *migrant, ethnoculturel* ou *néo-,* d'où la quête de ce que Joël Des Rosiers appelle les espaces « métasporiques au lieu de dia-sporiques : à partir des contradictions liées à l'origine » (Des Rosiers, 1996 : 162).

Chez Hédi Bouraoui, l'œuvre de fiction devient le lieu où s'exerce une démarche critico-créatrice « qui rend communicables les différences, occulte toute clôture du texte et permet à l'ouverture d'assumer dans la joie et le plaisir la polyphonie de ses significations » (Bouraoui, 2005 : 29). L'écrivain *migrant* ne serait plus un simple producteur de signes témoignant d'une réalité antérieure puisque l'optique transculturelle, transfrontalière, ne s'apparente ni à l'éloge ni à la méprise du multiculturalisme ; il mettrait plutôt en œuvre une tentative de lancer le débat sur la question de l'immobilisme identitaire en proposant de faire dialoguer les cultures. Il devient tout à fait concevable que cette écriture puisse entreprendre la recherche de zones de visibilité et de lisibilité qui s'éloigneraient définitivement des grilles de lecture homogénéisantes et sans aucun doute réductrices, dans la mesure où elles occultent la dimension créatrice de l'œuvre et de la démarche même de l'écrivain en mettant en avant un fond communautariste ou particulariste devenu stérile.

BIBLIOGRAPHIE

Bouraoui, Hédi (2000). « Les enjeux esthétiques et idéologiques du transculturel en littérature », dans Louis Bélanger (dir.), *Métamorphoses et avatars littéraires dans la francophonie canadienne*, Ottawa, L'Interligne, p. 11-26.

Bouraoui, Hédi (2005). *Transpoétique : éloge du nomadisme*, Montréal, Mémoire d'encrier.

Bouraoui, Hédi (2010). *Méditerranée à voile toute*, Ottawa, Vermillon.

DES ROSIERS, Joël (1996). *Théories caraïbes : poétique du déracinement*, Montréal, Triptyque.

LASSERRE, Elizabeth (2000). « La littérature franco / ontarienne : ruptures et continuité », dans Hédi Bouraoui (dir.), *Littérature franco-ontarienne : état des lieux*, série monographique en sciences humaines, Sudbury, Institut franco-ontarien, Université Laurentienne, p. 29-48.

MOISAN, Clément, et Renate HILDEBRAND (2001). *Ces étrangers du dedans : une histoire de l'écriture migrante au Québec (1937-1997)*, Québec, Éditions Nota bene.

PARÉ, François (2002). « Poésie des transfuges linguistiques : lecture de Robert Dickson, Margaret Michèle Cook et Nathalie Stephens », dans Lucie Hotte (dir.), *La littérature franco-ontarienne, voies nouvelles, nouvelles voix*, Ottawa, Le Nordir, p. 129-151.

Justifier *faussement* la correction ou la non-correction d'erreurs morphosyntaxiques : réflexions métagrammaticales d'étudiants francophones universitaires en milieu minoritaire*

Marie Bernier
Université Laurentienne

QUEL EST LE SAVOIR GRAMMATICAL RÉEL des étudiants francophones accédant à l'université en milieu minoritaire ? Dans quelle mesure sont-ils prêts à recevoir, comprendre et surtout produire du discours savant au sortir de l'école secondaire ? Est-ce que leur compétence langagière est suffisante eu égard à ce qui les attend à l'université ?

Le discours sur la non-maitrise du français écrit au postsecondaire est généralement assez pessimiste. Comme en a fait le constat Nicole Beaudry, professeure à l'Université du Québec à Montréal (UQAM), « [l]es considérations sur la piètre maîtrise du français des étudiants qui commencent un premier cycle universitaire sont d'une inépuisable actualité » (2007). Les études s'étant intéressées à cette problématique ont le plus souvent trait à la compétence langagière nécessaire à la poursuite d'études universitaires (vocabulaire, morphosyntaxe, syntaxe, aspects rédactionnels et pragmatiques). Notion multidimensionnelle selon Simon Laflamme et Ali Reguigui, cette compétence langagière comprend trois dimensions : cognitive, communicationnelle et linguistique (2003 : 11).

La présente étude porte exclusivement sur cette dernière dimension, c'est-à-dire le savoir grammatical des étudiants universitaires débutants en contexte minoritaire francophone, et repose sur l'analyse des réflexions métagrammaticales qu'ils émettent lorsqu'ils sont placés en situation de révision ou de correction de texte.

---

* Le présent texte est rédigé conformément aux rectifications de l'orthographe de 1990.

Francophonies d'Amérique, n° 33 (printemps 2012), p. 45-78

Contexte de la recherche

La présente étude constitue le dernier volet d'un programme de recherche visant à dresser le profil métalinguistique des nouveaux étudiants à leur arrivée aux Facultés des humanités et des sciences sociales de l'Université Laurentienne, secteur francophone. L'ensemble de la recherche, commencée en 2007, se présente en trois volets qui ont pour objet 1) l'analyse de l'utilisation des aides logicielles en situation de rédaction quand les sujets n'ont pas reçu de formation explicite sur leur utilisation (Bernier et Corbeil, 2012), suivie de 2) l'analyse comparative intergroupe de l'utilisation de ces mêmes ressources lorsque les sujets ont reçu une brève formation sur leur utilisation (Bernier, 2010) et, finalement, de 3) l'analyse des réflexions métagrammaticales émises par les sujets lors d'une épreuve qui consistait à repérer et corriger des erreurs. Ainsi, l'ensemble de la recherche propose d'aller au-delà de la recension des erreurs et vise en quelque sorte à faire une incursion dans les chemins de la pensée grammaticale des étudiants après douze ans d'enseignement ou d'apprentissage formel de la grammaire de la phrase et, parfois, du texte. Il s'agit, on l'aura compris, d'une recherche essentiellement exploratoire.

Cadre conceptuel

La maitrise du français écrit au postsecondaire

C'est au cours des années 1990 que la recherche a sonné l'alarme au sujet de la problématique du savoir métalinguistique des étudiants du postsecondaire. Une enquête menée par des chercheurs d'une université québécoise visant à « [...] mesurer les acquis orthographiques et rédactionnels des étudiants au moment où ils sont admis à l'université » fait ressortir que, d'une année à l'autre, il semble y avoir une constante dans les résultats qu'obtiennent les étudiants au *TURBO*[1], un test de connaissances élaboré aux fins de cette enquête, cela en raison, soutiennent les auteurs, du type d'enseignement qui demeure inchangé aux ordres préuniversitaires (Roy et Lafontaine, 1992 ; Roy, 1992 : 12). Cette enquête a donné lieu à plusieurs études[2], faisant toutes état de l'importance insoupçonnée des

---

[1]   *Test universitaire de rédaction et de bonne orthographe*, Université de Sherbrooke.

[2]   « La maîtrise du français écrit aux ordres supérieurs d'enseignement », dossier thématique sous la direction de Gérard-Raymond Roy et Guy Boudreau, dans *Revue*

lacunes dans la compétence langagière des étudiants du postsecondaire et, conséquemment, des ratés de l'enseignement du français aux ordres préuniversitaires. Au Québec comme en Europe francophone, nombreux ont été les chercheurs s'y étant intéressés, tant en ce qui a trait à l'état de la question qu'à la recherche de solutions pour améliorer la maitrise du français, surtout à l'écrit.

Dans son rapport sur la connaissance de la langue chez les étudiants universitaires, la Conférence des recteurs et des principaux des universités du Québec (CREPUQ) (1986) définissait ainsi le concept de « maîtrise de la langue » :

> Maîtriser la langue [...], c'est connaître les règles et procédés qui déterminent l'usage au plan orthographique, morphologique, syntaxique et lexical et permettent, tant à l'oral qu'à l'écrit, d'exprimer clairement des idées et de les organiser en un ensemble cohérent. Il s'agit d'une compétence de base, que présuppose l'apprentissage des normes de rédaction ou présentation propres aux diverses disciplines (cité dans Lépine, 1995 : 32).

Quant à la compétence à écrire, les auteurs du rapport sur l'*Évaluation de l'efficacité des mesures visant l'amélioration du français écrit du primaire à l'université* (Lefrançois *et al.*, 2008) s'appuient sur la définition du Groupe DIEPE en vertu de laquelle la compétence à écrire serait « [...] l'ensemble des connaissances, des savoir-faire et des attitudes qui concourent à la production d'une communication écrite » (1995 : 26), – alors que pour François Lépine on nommerait « compétence linguistique »

> [...] un certain degré de maîtrise de la grammaire et du fonctionnement du lexique, connaissances assimilées au point de se manifester comme des réflexes permettant l'application quasi inconsciente des règles et des conventions orthographiques ou syntaxiques et s'accompagnant d'une aptitude au doute et à la révision (1995 : 25).

Ainsi comprise, la compétence langagière est une condition minimale de réussite à l'université. Aussi, conscientes des conséquences que des lacunes dans cette compétence linguistique peuvent avoir dans la formation universitaire, les institutions collégiales et universitaires ont mis en place

---

des sciences de l'éducation, vol. 21, n° 1 (1995), p. 5-215. Plusieurs chercheurs se sont penchés sur les diverses facettes de cette problématique, multidimensionnelle, notamment Roy et Legros, 1992; Boudreau, 1995; Lafontaine et Legros, 1995; Lépine, 1995; Moffet, 1995; Monballin, van der Brempt et Legros, 1995; Roy et Boudreau, 1995; Roy et Lafontaine, 1992; Roy, 1995; Simard, 1995; Vandendorpe, 1995; Viau, 1995.

diverses mesures « ponctuelles et temporaires » de remédiation dans les établissements postsecondaires (Beaudry, 2007, 2008 ; Grégoire, 2011 ; Lefrançois, 2003 ; Monballin et Legros, 2001 ; Piron, 2008) afin de redresser la situation. Toutes ces études – émanant globalement de milieux sociolinguistiques majoritaires – prouvent bien que la problématique de la maitrise du français écrit déborde les frontières.

Il convient de s'attarder un peu sur ces mesures de remédiation. Elles ont en général pour principal objectif de donner aux scripteurs une aide ponctuelle en écrit, aide dont on espère des résultats durables, mais qui, en fait, en reste souvent au niveau basique des règles grammaticales d'accord et de syntaxe puisque là sont les besoins les plus criants. Elles ne couvrent dans la généralité des cas qu'une partie des habiletés linguistiques indispensables à la poursuite d'études universitaires, notamment les compétences discursives et pragmatiques, cela malgré les efforts déployés par les diverses instances pour améliorer ces mesures en les adaptant aux besoins de clientèles déterminées (Grégoire, 2011 ; Monballin et Legros, 2001). Il est toutefois à noter que, selon le rapport cité plus haut sur l'évaluation de l'efficacité des mesures de remédiation, en ce qui a trait au niveau postsecondaire, les interventions entrainant le plus de progrès pour l'ensemble de la production écrite demeurent les cours de mise à niveau, dans lesquels sont abordés plusieurs aspects de la langue.

Mais il faut encore à l'étudiant développer ses capacités d'analyse et de synthèse, s'approprier un vocabulaire abstrait – que Michèle Monballin et Georges Legros qualifient de « langue intellectuelle » (2001 : 2) – et s'acculturer à la communication scientifique (Monballin, 2001). Au Québec, la création du Réseau universitaire des services d'aide en français (RUSAF) en 2007, dont la mission est d'appuyer le « développement et la mise en œuvre de mesures d'aide en français dans le but de soutenir la réussite éducative » (Beaudry, 2007 : 3), venait confirmer que la situation au regard de la compétence langagière à l'université demeure un problème majeur malgré les nombreuses tentatives de remédiation offertes par les institutions. Cela venait aussi institutionnaliser le phénomène, en confirmant que cette problématique de la maitrise langagière n'est guère en voie de résolution et que les mesures d'aide, qui devaient n'être que ponctuelles, font dorénavant partie du paysage, sinon du programme.

Vingt ans plus tard, et malgré les mesures implantées, il appert que la situation n'a guère évolué, du moins dans le sens souhaité. Depuis l'enquête précitée de Gérard-Raymond Roy et ses collaborateurs, un même constat : les étudiants universitaires débutants n'ont pas la compétence langagière nécessaire à la poursuite d'études postsecondaires.

À l'Université de Moncton, lors de la création du nouveau programme de formation linguistique, on a reconnu qu'il y avait nécessité d'enseigner la langue première même aux ordres postsecondaires. On visait l'« amélioration de la compétence langagière par l'étude des genres en usage dans les disciplines » (Lebel, 2011). C'est, comme le dit l'auteure, aller « au-delà de la mise à niveau ». C'est aussi, selon nous, une reconnaissance du fait que les mesures de remédiation ne sont peut-être pas suffisantes, qu'il s'agisse de milieu majoritaire ou, comme c'est le cas de l'Université de Moncton, de milieu minoritaire, et qu'il faille plus globalement changer d'approche.

En milieu minoritaire

Si en milieu francophone majoritaire, les étudiants des collèges et universités font montre de graves lacunes dans leur savoir grammatical, il est permis de penser que, en contexte minoritaire, ces mêmes difficultés se trouveront accentuées du fait du contexte diglossique.

Car vivre en milieu minoritaire signifie être confronté à un double vécu ethnolangagier : vivre avec son propre groupe ethnolinguistique, l'endogroupe, et dans sa langue maternelle, mais aussi vivre avec l'exogroupe, majoritaire, généralement dominant et dont la langue est souvent perçue comme plus prestigieuse, particulièrement s'il s'agit de l'anglais. De ce fait, l'individu est constamment en contact avec au moins deux langues (Landry, Deveau et Allard, 2006 : 167, 176) : l'une, publique, celle des institutions, de l'État, de l'espace public en général, et l'autre, privée, essentiellement intragroupe et employée surtout dans la sphère des relations sociales informelles ou de proximité.

Des études portant sur l'identité ethnolinguistique en milieu minoritaire au Canada (Bernard, 1998 ; Dallaire, 2004 ; Dallaire et Denis 2003 ; Gérin-Lajoie, 2004) révèlent que les francophones vivant en contexte minoritaire, les jeunes plus particulièrement, ont de plus en plus tendance à s'autodéfinir comme bilingues, se réclamant ainsi d'une identité hybride. Il s'agirait, selon Diane Gérin-Lajoie (2004, cité dans Duquette, 2006 : 666), d'un nouvel état identitaire. Pour Monica Heller (1999), l'école de milieu minoritaire devrait être un lieu de construction identitaire pour les jeunes. Mais, dit-elle, en Ontario, l'école francophone doit composer avec deux aspects contradictoires : son mandat de maintien et de sauvegarde de la langue et de la culture francophone et une réalité anglodominante partout présente qui vient travestir le discours : on veut une école monolingue francophone, mais on parle ouvertement des bienfaits du bilinguisme. C'est le paradoxe de l'école de milieu minoritaire, souvent envisagée comme un microterritoire francophone selon les caractéristiques d'un milieu homogène, où le monolinguisme est privilégié, mais où, par ailleurs, diverses variétés régionales de français coexistent, et où, également, le standard recherché est soit français, soit québécois. Et tout cela, dans une réalité administrative anglodominante. Annie Pilote et Marie-Odile Magnan définissent ainsi le paradoxe de l'école francophone en milieu minoritaire : « L'éducation, qui a structuré l'être collectif des francophones minoritaires, est considérée comme l'institution centrale permettant la sauvegarde de la langue et de la culture françaises en situation minoritaire au Canada » (2008 : 284). L'école francophone de milieu minoritaire canadien se voit dans l'obligation, en vertu de l'article 23 de la *Charte canadienne des droits et libertés*, d'accepter des élèves dont les compétences en français sont diversifiées, puisque les compétences en français « ne constituent pas un critère d'admissibilité en soi [...] » (Pilote et Magnan, 2008 : 294). L'admissibilité d'élèves même non francophones et de divers horizons francophones crée une hétérogénéité dans les niveaux de connaissance du français, ce qui représente un défi pour l'enseignement du français comme langue première et langue de communication. Selon ces auteures,

> [i]mmergée dans un milieu anglophone, pluraliste et mondialisé, l'école de la minorité francophone fait maintenant face à une crise identitaire, voire à un double défi : bénéficier de l'apport de nouveaux groupes (par exemple, immigrants, Québécois, anglophones, bilingues, etc.), tout en ne perdant pas de vue son premier objectif : maintenir et promouvoir la langue et la culture françaises (p. 293).

Ainsi y a-t-il d'un côté, l'école et sa mission, la survie du français, et, de l'autre, la pression que l'on met sur les locuteurs apprenants par la priorisation d'un français parfait, standard difficile à atteindre, ce qui contribue à aggraver le problème de la compétence langagière. Car en milieu francophone minoritaire, le français dit standard est souvent le seul légitime – celui qui est enseigné et valorisé –, ce qui implique que les variantes vernaculaires sont dévalorisées, perçues comme des erreurs à ne pas commettre. Selon Vickie Coghlan et Joseph Yvon Thériault, l'enseignement normatif de la langue telle qu'elle est présentée dans les manuels et une certaine disqualification du vernaculaire font que la langue enseignée perd toute valeur fonctionnelle (2002 : 9).

Conséquemment, ce n'est pas tant le fait que la langue soit minoritaire qui pose problème que le fait qu'elle implique un vécu de minorisation qui, à son tour, peut amoindrir l'importance accordée à la perfectibilité de la langue parce que la langue maternelle sera toujours vécue comme seconde, avec le sentiment de l'impossible cible à atteindre. Dès lors, il semble plus facile au locuteur d'utiliser l'autre langue, celle qui est reconnue comme légitime et qui lui donne l'impression de faire partie de la majorité, cette autre langue devenant, dans les faits, la langue d'usage. Constat que fait Heller (1999, cité dans Pilote et Magnan, 2008 : 300) : les jeunes préfèrent se tourner vers l'anglais, car ils se sentent moins jugés. Il s'agirait, dit l'auteure, d'une forme de résistance passive face aux dictats normatifs.

De façon générale donc, les études portant sur le vécu ethnolangagier en situation francophone minoritaire s'entendent sur le fait que, de l'usage du vernaculaire au français standard, l'écart est souvent trop important, ce qui, dans une espèce de mouvement itératif, entraine une diminution des standards, augmentant ainsi le sentiment de non-compétence langagière, d'où une insécurité linguistique ; les exigences académiques accroissant encore cet écart créent à leur tour un sentiment d'impuissance chez le jeune, l'objectif à atteindre lui semblant inaccessible – accroissant encore ce sentiment d'insécurité linguistique ; cela entraine chez lui une démission devant l'effort à fournir pour améliorer sa compétence. Ainsi Annette Boudreau et Lise Dubois expriment-elles que « [l]'insécurité linguistique est l'un des facteurs importants [...] qui peut nuire à l'apprentissage d'une langue en milieu scolaire, surtout aux niveaux secondaire et universitaire, là où la conscience linguistique est le plus développée » (1994 : 482). « Car, ajoutent-elles, [...] à l'intériorisation d'un sentiment d'inadéquation linguistique vient se greffer un sentiment d'incapacité qui peut se traduire par une attitude de démission devant ce qui est considéré comme trop difficile ou inaccessible. » Comme le suggèrent ces auteures, cela s'apparente à une situation triglossique. Sandrine Hallion parle, quant à elle, d'autodépréciation du vernaculaire comme tendance des locuteurs de la langue dominée, dévalorisation interne symptomatique de l'insécurité linguistique (2011 : 3).

Selon l'étude sociolinguistique précitée de Laflamme et Reguigui – étude qui visait, entre autres, à analyser les facteurs pouvant agir sur la maitrise de la langue maternelle selon le milieu et à établir s'il y a une différence dans cette maitrise selon qu'elle est la langue d'un groupe majoritaire ou celle d'un groupe minoritaire –, il appert, à la lumière des résultats de l'enquête, 1) qu'il y a « [...] une différence significative intergroupe pour toutes les erreurs, fondues en une fonction discriminante, et pour toutes les classes d'erreurs [...] » (2003 : 160); 2) que le fait d'appartenir à un groupe ou à l'autre a une incidence sur le nombre et le type d'erreurs commises; et 3) que l'influence du groupe dans un rapport majoritaire / minoritaire est réelle. Ainsi les chercheurs constatent-ils une ressemblance marquée dans le nombre d'erreurs commises, tous types confondus, chez les locuteurs de milieu majoritaire, mais constatent aussi une différence significative du nombre d'erreurs entre les locuteurs de milieu majoritaire et ceux de milieu minoritaire, ces derniers ayant commis presque deux fois plus d'erreurs que ceux du groupe majoritaire, différence que les auteurs expliquent en partie par l'appartenance, ici à un groupe de milieu majoritaire et là à un groupe de milieu minoritaire. Les auteurs rapportent que c'est au plan des composantes formelles de la langue, en morphologie et en syntaxe, que les erreurs sont les plus percutantes chez les sujets de l'échantillon canadien-français, celles de morphosyntaxe (erreurs d'accords) et celles concernant les temps et modes verbaux étant les plus importantes. Les erreurs en syntaxe concernent, quant à elles, la structure du groupe prépositionnel et la construction de la phrase dans son ensemble. Parlant de l'échantillon canadien-français (de milieu minoritaire), les auteurs indiquent que les locuteurs

[...] sont continûment tiraillés entre deux registres pour le français lui-même, celui du français parlé et celui du français écrit, et que, de plus, ils vivent dans une situation de contact des langues, voire de conflit linguistique, où la langue seconde, l'anglais, prend une place gigantesque dans les habitudes médiatiques : leur bilinguisme et leur minoritude leur donnent un accès immédiat à la langue qui est la plus grande productrice de messages de masse, de messages médiatiques. Ainsi [...] il y a une perte du français standard en faveur du français parlé et une perte de celui-ci en faveur de l'anglais; les erreurs de confusion de registres ainsi que les erreurs interlinguistiques en sont un indice tangible (Laflamme et Reguigui, 2003 : 161).

Autre constat de cette enquête : les résultats montrent qu'« [...] en première année d'université, l'erreur linguistique est courante, et l'on n'a pas affaire à un phénomène localisé [...] qu'elle est loin d'être accidentelle,

même au sein de groupes linguistiques où elle est la moins probable »
(p. 206). Cela permet d'affirmer, selon les auteurs, qu'au terme des
études secondaires, il est courant de commettre des erreurs à l'écrit. À
tout le moins, que l'on soit de milieu majoritaire ou minoritaire, même
si c'est différemment, la question de la compétence langagière à l'entrée
à l'université se pose.

La réflexion métalinguistique

Selon le *Dictionnaire de linguistique et des sciences du langage,* la méta-
langue est une langue artificielle servant à décrire une langue naturelle,
particulièrement utilisée par les linguistes et les grammairiens (Giacomo
et al, 2001 : 301). Des termes comme *pluriel, attribut, complément,
sujet, pronom relatif, subordonnée,* etc., tous termes grammaticaux, relèvent par définition du métalangage. Pour Jean-Émile Gombert, la méta-
langue renvoie à une activité consciente de réflexion sur la langue et
de son utilisation par le sujet (1990 : 11). Nous distinguerons à notre
tour entre activité métalinguistique et activité épilinguistique, cette
dernière référant, pour citer de nouveau Gombert, à « des manifestations
explicites [...] d'une maîtrise fonctionnelle de règles d'organisation ou
d'usage de la langue » (p. 27), ce qui s'oppose au métalinguistique, qui
réfère au conscient, au délibéré, au contrôle. Ainsi, dire « X s'accorde
avec le complément direct » relève d'une démarche consciente, réfléchie
et de l'utilisation du métalangage en vue de l'application d'une règle
d'accord. Par contre, dire « c'est parce que c'est elle, donc *–e* » peut
relever de l'épilinguistique, c'est-à-dire de la maitrise fonctionnelle des
règles de la langue, connaissance intuitive et si intégrée qu'elles sont
automatiquement mises en application. Par conséquent, réfléchir de
façon métalinguistique serait pour un locuteur avoir la capacité d'utiliser
le métalangage dans l'évaluation d'un fait linguistique et démontrer une
certaine habileté dans son maniement, ce qui suppose en comprendre les
termes ; ce serait montrer la capacité de reconnaitre si un fait linguistique
se présente comme problématique ou non, connaitre le lexique pour le
décrire et l'expliquer, et être en mesure de le corriger le cas échéant. Cela
implique une connaissance et une maitrise minimales à la fois du système
langagier et de son lexique spécialisé.

De façon générale, la réflexion métalinguistique constitue le lieu
où se meuvent les savoirs grammaticaux, où ils sont élaborés, traités et

transformés. Christine Othenin-Girard et Geneviève de Weck posent que le savoir grammatical des élèves s'apparente à un « agglomérat composite et mouvant » (cité dans Legros et Roy, 1995 : 300), car constitué à la fois de savoir intuitif et de bribes de savoirs transmis par l'enseignement. Quand la réflexion métalinguistique est formulée à voix haute, la verbalisation concomitante donne un accès – bien que partiel – à ce savoir sur la langue, qu'il soit plus intuitif ou plus formel. L'analyse des verbalisations permet ainsi de mettre en lumière les connaissances déclaratives certes, mais aussi la capacité de raisonnement et les procédures appliquées lors de la résolution de problèmes linguistiques, tout ce qui constitue les représentations grammaticales du locuteur qui les produit. Toute activité métalinguistique n'est cependant pas réductible à ce qui est conscient, donc verbalisable, car elle se déploie aussi à un niveau non conscient (épilinguistique, suivant Gombert). Selon Josiane Boutet, Françoise Gauthier et Madeleine Saint-Pierre, il y a une distinction à établir « entre le savoir-faire linguistique des élèves, savoir qui est acquis à leur arrivée à l'école et le savoir-dire sur la langue, ou savoir métalinguistique […] » (cité dans Legros et Roy, 1995 : 296).

L'une des études citées plus haut (Legros et Roy, 1995) portant sur le discours métalinguistique d'étudiants du postsecondaire a observé les raisonnements métalinguistiques de 20 sujets – 10 étant forts et 10 faibles (selon la note obtenue au *TURBO* : notes de 15 % supérieures à la moyenne ou 15 % inférieures) – ayant à résoudre des problèmes d'accord en genre et en nombre ; elle a montré que 75 % des raisonnements répertoriés relèvent de deux types : 1) ceux liés aux relations fonctionnelles des mots dans la phrase, où les sujets résolvent leurs problèmes en s'appuyant sur les relations fonctionnelles « […] par la recherche quasi intuitive de l'influence d'un donneur sur un receveur » (accords donneur-receveur, marques morphologiques, etc.), et 2) ceux liés aux connaissances déclaratives, où l'on peut percevoir des traces de l'enseignement reçu, plus ou moins bien assimilé, où les sujets font du rappel de règle par l'énonciation d'une règle, correctement ou non, en amalgamant des règles ou en appliquant une règle. Le reste des raisonnements se répartit entre le sémantique et les opérations linguistiques, où les sujets font plutôt appel aux trucs, principalement à la substitution (morphologique ou sémantique) (Legros et Roy, 1995 : 308). Il ressort de ces résultats 1) que moins de 10 % des sujets font état d'une démarche réfléchie dans la résolution d'un problème linguistique (ici lié aux accords en genre et en nombre); 2) que les sujets forts émettent plus de raisonnements que les sujets faibles; 3) que ces derniers maitrisent moins bien les raisonnements liés aux relations fonctionnelles des mots dans la phrase, ceux liés aux connaissances déclaratives et ceux ayant recours aux opérations linguistiques (du type substitution); 4) que les sujets faibles de cet échantillon ont émis moins de raisonnements faisant appel à une règle; et, enfin, 5) que plus de la moitié de ces raisonnements sont des amalgames. Les auteurs ajoutent que, en ce qui a trait aux raisonnements relevant du sémantique, les résultats montrent qu'ils n'ont jamais mené à la bonne réponse. Il convient de noter ici que cette étude tenait compte des variables « appartenance sexuelle » et « forts et faibles », et que les sujets provenaient de différents champs disciplinaires. Les auteurs ont ainsi constaté que les filles ont mieux performé que les garçons, connaissaient mieux les règles de grammaire et les appliquaient mieux que les garçons; ceux-ci se sont classés dans la catégorie « faibles » et ont montré une tendance à utiliser davantage les raisonnements sémantiques pour résoudre leurs problèmes d'accord. Nous retiendrons ici que, parmi les conclusions de l'étude, les auteurs mentionnent que l'enseignement traditionnel de la grammaire, basé sur le déclaratif, ne convient qu'aux sujets déjà forts; que l'analyse du discours métalinguistique montre que des sujets peuvent verbaliser du savoir grammatical sans égard au contexte, donc aux données situationnelles, mais que le savoir grammatical lié aux relations fonctionnelles des mots dans la phrase utilisé pour la résolution de problèmes d'accord prouve que les sujets peuvent faire appel à une utilisation spontanée de la langue, c'est-à-dire à un savoir préexistant à la formation en grammaire.

Une autre étude a porté sur la culture grammaticale ordinaire, où la prise en compte des savoirs ordinaires, souvent déviants par rapport aux savoirs enseignés, invite à poser un regard différent sur les modes d'élaboration des représentations grammaticales. En s'intéressant aux verbalisations spontanées issues du milieu interactionnel de la classe, il est possible, selon l'auteure, de trouver des réflexions métagrammaticales qui, bien que déviantes, révèlent des savoirs où des « traces de raisonnements inachevés, de connaissances restées à l'état embryonnaire, avec une ébauche d'organisation et de raisonnement » (Weber, 2004 : 105) viennent esquisser les contours de représentations grammaticales, elles-mêmes issues à la fois de savoirs enseignés et de lieux communs résultant de savoirs sociaux. Ces savoirs s'articulent autour de raisonnements partiels – élémentaires, parcellaires, inachevés, amalgamés – qui finissent pas devenir le savoir grammatical réel parce que perçu / vécu comme vrai, et donc produisant des conduites métagrammaticales erronées et un rapport conflictuel à la culture grammaticale pédagogique (p. 109). Bien que difficiles à situer, selon Corinne Weber, car aux frontières du pédagogique et du populaire, ils sont néanmoins indicateurs d'une activité métagrammaticale. Toujours selon l'auteure, il s'agirait de « partir du principe selon lequel le sujet qui conceptualise cherche d'abord à donner un sens à l'activité réflexive qui s'impose à lui, pour établir des relations avec ce qu'il maîtrise et aboutir à de nouvelles catégorisations » (p. 102). L'enseignement formel de la langue, réputé être le principal support de l'appropriation du système de l'écrit, peut devenir un frein à l'appropriation si, à un moment donné pendant le parcours d'apprentissage, la coconstruction du savoir entre enseignant et apprenant s'est déréglée, ce qui, comme le suggère Weber, enferme l'apprenant dans ses propres modes de structuration des savoirs. De là la mise en place de ce qu'elle nomme « des stratégies de survie » qui, bon an mal an, font quand même de l'apprenant un producteur de sens. L'auteure ajoute enfin que « derrière les formes déviantes et parcellaires d'apprenants en difficulté émergent des micro-raisonnements [...] constitués de pratiques simplifiées, d'agrégats ou de fragments de règles ou encore d'usages réinventés, souvent liés à une maturité conceptuelle insuffisante ou incomplète » (p. 110).

Ses observations l'ont amenée à établir deux listes de classification des stratégies métagrammaticales qu'elle a basées sur le degré de conscience linguistique : le premier degré donnerait des stratégies fondées soit sur la reconnaissance visuelle, l'analogie phonétique, l'identification selon la position ou l'indice de fréquence ; et le second degré, où les raisonnements se complexifient et se fondent soit sur l'analogie, la généralisation d'une règle, l'enchevêtrement de règles ou la reconstruction d'une loi grammaticale. Cette classification est intéressante à plus d'un titre : elle nous permet de mettre en perspective non seulement les erreurs souvent commises par les étudiants, mais surtout leur pensée qui, bien que révélant des failles par rapport aux règles formelles, fait état d'un savoir réel. Cette façon d'aborder le savoir grammatical ne renie pas les ébauches, les essais, les tentatives d'énonciation de règles, puisque tout cela fait appel à la fois à un savoir intuitif et à des traces de formation explicite. Agrégat peut-être, selon le terme de Weber, mais révélateur de connaissances, même parcellaires, même erronées, mais qui existent bel et bien. Cette posture oblige en quelque sorte à passer d'un regard accusateur du type « ils ne connaissent rien, sont incompétents » à celui de curieux, puis à celui de levier : partir du *déjà-là* en pédagogie n'a rien de nouveau. Ce qui l'est, par contre, c'est la reconnaissance du fait que, dans le déviant (selon le concept de Weber), il y a une amorce de savoir qu'il convient d'utiliser à bon escient.

Question de recherche

L'étude des réflexions métagrammaticales émises par des étudiants universitaires francophones débutants confrontés à une épreuve de repérage et de correction d'erreurs cibles nous permet d'approfondir notre connaissance de ce qu'ils savent ou ne savent pas, ou encore, savent partiellement ou de façon plus ou moins erronée. Quelles sont les stratégies réflexives liées à leur savoir grammatical par lesquelles ils en arrivent aux conclusions (pseudo) grammaticales dont font foi leurs corrections?

Pour répondre à notre question de recherche, nous avons établi une catégorisation quadripartite des raisonnements émis par les sujets : 1) les raisonnements non métagrammaticaux – qui ne contiennent pas de métalangage et qui réfèrent davantage au sémantique ; 2) ceux de la catégorie « je ne sais pas », que nous avons dû rajouter vu le nombre d'occurrences dans notre corpus ; 3) les raisonnements métagrammaticaux – donc à base de métalangage –, dont ceux qui, même en utilisant le métalangage, ne sont pas appropriés au fait linguistique en question ; et 4) ceux qui à la fois contiennent du métalangage et sont appropriés au problème linguistique en question. Les classifications des savoirs métalinguistiques (chez Legros et Roy) et métagrammaticaux (chez Weber) nous ont guidée dans notre analyse des résultats.

Notes méthodologiques

Dans notre étude, l'échantillon est constitué de toutes les réflexions métalinguistiques émises (verbalisations) selon le protocole de la pensée à voix haute par 16 sujets, des étudiants francophones volontaires débutants de l'Université Laurentienne en 2009-2010, lors d'une tâche expérimentale de repérage et de correction de 64 erreurs distribuées dans un corpus de 26 phrases détachées (P) et de 7 courts textes. Toutes les phrases ou tous les textes avaient le même nombre de mots (selon les parties) de façon à équilibrer la tâche et ne contenaient pas de mots sortant de l'ordinaire ou trop savants. La correction des erreurs se faisait au moyen du texteur *Word* (2007), dans un espace réservé à la droite du texte, et les sujets ont été filmés tout au long du travail. La tâche était constituée

1) de suites de phrases contenant des erreurs d'accord, de conjugaison et de confusion homophonique dans les sphères du groupe nominal (GN) et du groupe verbal (GV) exclusivement (Activité 1) ;

2) de courts textes contenant des erreurs de syntaxe et d'accord de tous types, toutes erreurs confondues (Activité 2) ;

3) de courts textes contenant des erreurs de grammaire textuelle exclusivement portant sur les connecteurs, la concordance temporelle et la construction verbale (prépositionnelle) (Activité 3)[3].

Le tableau 1 présente la tâche expérimentale et montre la distribution des erreurs parmi les trois activités.

Tableau 1
Tâche expérimentale et distribution des erreurs

MORPHOSYNTAXE			GRAMMAIRE TEXTUELLE
ACTIVITÉ 1		ACTIVITÉ 2	ACTIVITÉ 3
26 phrases détachées		4 courtes histoires	3 courtes histoires
21 mots/phrase	21 mots/phrase	41 mots/phrase	54 mots/phrase
14 E distribuées dans le GV (50%)	14 E distribuées dans le GN (50%)	25 E distribuées dans le GV et le GN	11 E distribuées
43% E distribuées dans phrases détachées		40% E distribuées aléatoirement	Référents; connecteurs logiques; concordance temporelle
83%			17%

Le tableau 2 énumère le nombre d'items insérés dans le corpus par catégories générales d'erreurs morphosyntaxiques, et le tableau 3 détaille le nombre d'items insérés dans le corpus pour les trois catégories d'erreurs cibles en grammaire textuelle.

---

[3]   Les phrases et les textes utilisés pour la tâche expérimentale ont été adaptés d'exercices provenant du Centre collégial de développement de matériel didactique (CCDMD), Collège Maisonneuve, Montréal.

Tableau 2
Répartition des items par catégories
d'erreurs morphosyntaxiques

	ACC GN	ACC GV	C HOM	MORPH V	CONST V	ACC FAUTIF	Total
Activité 1 (ciblées dans GV ou GN)	12	9	3	2	1	1	28
Activité 2 (mélangées)	3	11	7	0	4	0	25

Tableau 3
Répartition des items pour les erreurs
en grammaire textuelle

	REP INFORM	CONN LOG	CONC TEMP	Total
Activité 3 (grammaire textuelle)	4	3	4	11

Principaux résultats

Des 1 024 items à repérer et à corriger[4], 841 (82,1 %) ont été visités et 183 (17,9 %) sont manquants pour cause de non-achèvement des exercices. Sur le total des items visités, les sujets ont repéré 329 erreurs (39,1 %) et en ont oublié 512 (60,9 %). La moyenne de repérage par sujet s'élève à 20,6 items.

De ce 39,1 % d'erreurs repérées, la presque totalité (98,2 %) a fait l'objet d'une tentative de correction. C'est dans l'activité 1 (morphosyntaxe dans le GV et dans le GN, phrases détachées) que la majeure partie (43,7 %) des erreurs a fait l'objet d'une tentative de correction, ce qui laisse dans l'ombre plus de la moitié des erreurs sans tentative de correction. Les tentatives de correction des erreurs morphosyntaxiques dans les courts textes (activité 2, erreurs mélangées) ne représentent, quant à elles, que 36,9 %, alors qu'en grammaire du texte, c'est dans une proportion de 32,8 % que les sujets ont tenté une correction. On le voit, dans les trois cas, la proportion des erreurs « oubliées » ou pour lesquelles les sujets ont tout simplement « passé outre » est toujours plus importante : pour l'ensemble

---

[4]   Les données utilisées dans cet article ont été recueillies en collaboration avec Julianne Mayer, étudiante à l'Université Laurentienne.

de la tâche, 60,9 % des erreurs n'ont pas été relevées par les sujets, pour une moyenne par sujet de 32 erreurs sur 64. Dans l'activité 1, où les erreurs étaient réparties dans des phrases détachées et ciblées dans des syntagmes spécifiques, c'est dans une proportion de 52,6 % que les sujets ont jugé les items non fautifs ; dans l'activité 2, où les erreurs étaient mélangées, la proportion est de 63,1 % ; quant aux erreurs en grammaire du texte, 66,7 % des erreurs n'ont même pas fait l'objet d'un repérage.

En considérant le type de corrections effectuées par les sujets, on constate que, pour l'ensemble des erreurs repérées et pour lesquelles il y a eu tentatives de correction, la correction se révèle juste dans 30,6 % des cas, non juste dans 8,1 % des cas, et dans 61,4 % des cas, les sujets ont passé outre, incapables de juger de la correction à apporter. Il faut noter que dans certains cas, les sujets avaient l'intention de revenir pour faire d'autres tentatives. Si l'on ne considère que les erreurs corrigées, c'est dans une proportion de 79,1 % que la correction se révèle juste, ce qui représente une moyenne de 16,1 corrections justes par sujet.

Sur un plan plus spécifique, voyons quelles sont les erreurs qui ont été les mieux repérées et quel est le résultat de la correction, par ordre décroissant d'importance. Les tableaux 4 à 7 inclusivement montrent en pourcentage les trois items les mieux repérés et leur correction juste par parties de la tâche expérimentale. Notons que le pourcentage de repérage est calculé en fonction du nombre potentiel d'erreurs et que celui de la correction est relatif au pourcentage du repérage.

Tableau 4
Repérage d'erreurs (E) et correction
juste dans le GV exclusivement

	Repérage	Corr. juste
Conjugaison	88 %	79 %
E accord part. passés	50 %	74 %
E accord V / sujet	46 %	95 %

À noter le faible résultat – moins de la moitié – de repérage des erreurs d'accord verbe / sujet, l'une des acquisitions les plus élémentaires en grammaire. Notons aussi que les erreurs de confusion homophoniques dans le GV n'ont été repérées qu'à la hauteur de 25 %, mais quand elles l'ont été, elles ont été bien corrigées à 71 %.

Tableau 5
Repérage d'erreurs (E) et correction juste dans le GN exclusivement

	Repérage	Corr. juste
E accord CompN d'un N non comptable	25 %	100 %
E faux accord Adv	25 %	75 %
E confusion homophonique	19 %	100 %
E accord Dét / N	19 %	100 %
E accord Adj / N	18 %	76 %

On peut observer, dans ce tableau, que certains types d'erreurs dans la série GN récoltent une proportion équivalente de repérage, mais non nécessairement de correction. Dans le cas des erreurs oubliées dans le GN, notons celles relatives aux accords avec un complément d'un nom collectif et un pronom relatif.

Tableau 6
Repérage d'erreurs (E) et correction juste dans les courts textes à erreurs mélangées

	Repérage	Corr. juste
E faux accord infinitif précédé d'une préposition	56 %	78 %
E accord verbe avec pronom neutre (on)	48 %	90 %
E accord part. passé avec aux. avoir (avec ou sans écran)	39 %	58 %
E confusion homophonique	33 %	86 %

Plusieurs types d'erreurs n'ont pas été repérées dans cette partie de la tâche où les erreurs étaient mélangées, notamment les erreurs relatives à l'accord d'un déterminant ou d'un verbe avec un nom collectif, l'accord d'un déterminant avec un nom au pluriel, un mauvais choix prépositionnel ou encore l'absence du *ne* dans la négation.

Tableau 7
Repérage d'erreurs (E) et correction
juste en grammaire textuelle

	Repérage	Corr. juste
E connecteurs logiques	56 %	78 %
E concordance temporelle	36 %	77 %
E référent	25 %	93 %

Il est à noter que, dans cette partie de la tâche, seulement le quart des erreurs de référence ont été relevées par les sujets, mais lorsqu'elles l'ont été, le taux de réussite de la correction est très élevé, comme le montre le tableau 7.

Raisonnements métagrammaticaux

Pour l'ensemble de la tâche, si l'on excepte les erreurs oubliées ou « passé outre » (sans objet), les sujets ont émis 323 raisonnements lors de la réalisation de la tâche, que nous avons classés comme suit, du non métalinguistique au plus métalinguistique :

Tableau 8
Catégorisation des raisonnements

Ne sait pas	Type de raisonnement émis quand le sujet soupçonne une erreur mais ne peut l'identifier de façon certaine et pour laquelle il ne trouve pas de solution, ni grammaticale ni autre. Ce fut le cas pour 3,7 % des raisonnements émis.
Raisonnement *non métagrammatical*	Type de raisonnement émis lorsque, face à une erreur repérée, le sujet doute de la nature de l'erreur et donne une explication exempte de métalangage ; jugement souvent teinté de logique sémantique. Ce type de raisonnement a été émis dans 2,2 % des cas.
Raisonnement *grammatical non approprié*	Type de raisonnement face à une erreur repérée et bien identifiée ; basé sur des règles de grammaire mais qui n'est pas approprié au fait linguistique en question. Par exemple : mélanger des règles d'accord ou encore utiliser plus ou moins la même règle pour tous cas d'erreur, sans distinction. C'est le cas des procédures de substitution (grammaire des trucs). Ce type de jugement métagrammatical constitue la majorité des raisonnements de notre corpus, soit 56 %.
Raisonnement *métagrammatical approprié*	Type de raisonnement face à une erreur repérée et bien identifiée ; basé sur des règles de grammaire énoncées avec les éléments pertinents du métalangage et appropriées au fait linguistique. Ce fut le cas pour 37,5 % des raisonnements.

On le voit, plus du tiers des raisonnements appartiennent à la catégorie raisonnement *métagrammatical approprié*, ce qui signifie que les sujets ont su faire appel au métalangage dans leur raisonnement pour résoudre des problèmes d'accord ou de cohérence textuelle.

Par contre, comme on peut le constater, lorsqu'il y a raisonnement métagrammatical, la proportion de raisonnements *métagrammaticaux non appropriés* est toujours prédominante, quelle que soit la partie de la tâche. L'écart le plus important – du simple au double – entre les raisonnements *métagrammaticaux appropriés* et *non appropriés* se situe dans l'activité 2 où les erreurs morphosyntaxiques sont mélangées. Dans l'activité 1, bien que la proportion des raisonnements *métagrammaticaux non appropriés* soit plus importante, cet écart demeure mince, à moins de 4 %.

Deux remarques s'imposent ici : d'abord, on peut penser que le fait que les erreurs n'aient pas été distribuées dans des textes suivis a facilité la tâche de repérage ; en tout cas, il semble que ce soit plus aisé lorsqu'il s'agit de phrases détachées ; ensuite, le fait que les erreurs aient été spécifiques au groupe nominal (GN) ou au groupe verbal (GV) a peut-être fait en sorte que les sujets ont pu mieux les reconnaitre – encore qu'il nous soit impossible de mesurer si les sujets ont perçu cette distinction, même si elle a été signifiée dans les consignes.

Dans l'activité en grammaire textuelle, plus de la moitié des raisonnements émis sont *non appropriés* aux types d'erreurs, l'écart avec les types de raisonnements métagrammaticaux étant de presque 20 %. Ici, il faut mentionner que les sujets n'ont peut-être pas saisi qu'il s'agissait de grammaire textuelle et que, pour la vaste majorité, ils continuaient à rechercher des erreurs morphosyntaxiques. Nous pourrions penser qu'il y a une sorte d'automatisme ou à tout le moins de croyance chez les étudiants : dès qu'il s'agit de repérer des erreurs, ils croient qu'il s'agit d'erreurs concernant les accords. Ce sont ainsi des erreurs d'accord qu'ils ont recherché dans cette partie de la tâche, ne tenant pas compte de la consigne qui stipulait clairement qu'il n'y avait pas d'erreurs de ce type.

De façon globale, des 257 corrections justes, 37,5 % proviennent de raisonnements *métagrammaticaux appropriés* aux erreurs, ce qui représente seulement un peu plus du tiers, comme le montre le tableau 9. Ainsi, les corrections justes sont peu le fait de raisonnements justes, exception faite des erreurs corrigées dans le groupe nominal. Notons que, même dans ce cas, puisque la proportion des erreurs repérées et où il y a eu tentative de correction n'est que de 37,2 %, on peut avancer que cela est relativement peu.

Tableau 9
Proportion des raisonnements métagrammaticaux
appropriés par activités

		Corr. juste / nb items	Rais. métagrammatical approprié en %
ACT 1	E dans le GV	83	48,2 %
	E dans le GN	30	66,7 %
ACT 2	Erreurs mélangées dans courts textes	99	39,7 %
ACT 3	E de grammaire textuelle	46	43,5 %

Encore ici, dans l'activité où les erreurs étaient disséminées dans de courts textes et mélangées, la proportion des raisonnements *méta-grammaticaux appropriés* baisse de façon sensible et se situe sous la barre des 40 %.

Ces résultats nous amènent à poser la question du comment, c'est-à-dire la question des stratégies et des procédures qui ont prévalu pendant la tâche de repérage et de correction des erreurs, cela en étudiant les réflexions métagrammaticales émises lors des verbalisations.

Interprétation des résultats

Au premier abord, à la lecture des résultats de notre étude, force nous est de constater combien encore est difficile au postsecondaire la gestion des règles de la grammaire, tout au moins chez ceux qui représentaient la clientèle de notre étude, des étudiants francophones débutants de milieu minoritaire. En ce qui concerne les résultats, rappelons qu'une partie de la tâche (21,8 %) n'a pas été réalisée, faute de temps.

Les résultats montrent que le repérage et l'identification des erreurs, lorsqu'elles ne sont pas annoncées – par exemple, lorsque le nombre total d'erreurs ou le nombre d'erreurs par phrase ou par bloc n'est pas spécifié –, sont plus qu'ardus, la proportion des « erreurs oubliées » dépassant celle des erreurs repérées, cela, comme on l'a vu, dans plus de 60 % des cas. Ces résultats confirment encore une fois ce que la recherche depuis plus de vingt ans soutient : les étudiants qui arrivent au niveau universitaire ont une connaissance insuffisante du système du français en général et font plus particulièrement preuve d'une inquiétante méconnaissance des mécanismes de la langue écrite.

Cela dit, un premier constat s'impose : nos données révèlent que seulement un peu plus du tiers des détections d'erreurs est le résultat d'un savoir grammatical, donc d'un certain état de connaissances sur la langue, savoir attesté par un discours contenant du métalangage, qu'il soit approprié ou non au fait linguistique en cours de correction. Les raisonnements se répartissent ainsi en deux grandes catégories : ceux qui sont le fait des types *non métagrammatical* et *ne sait pas*, catégorie qui représente 6 % de toutes les réflexions émises à voix haute, et ceux du type *métagrammatical,* qu'ils soient ou non appropriés au fait linguistique en question, catégorie qui représente plus de 93 % des réflexions émises. Nous les présenterons dans cet ordre.

Raisonnements non métagrammaticaux

Il est permis de faire un second constat : la proportion de raisonnements non métagrammaticaux est la plus faible, ce qui constitue en soi une bonne nouvelle. On peut en déduire que, devant un problème d'ordre linguistique à régler, malgré des insuffisances, les sujets se posent des questions, cherchent à produire du sens, et c'est parfois sans l'apport du savoir grammatical qu'ils en arrivent à une résolution, juste selon eux, du problème. Cela conduit le plus souvent à des solutions fautives (Legros et Roy, 1995), mais pas toujours. Ainsi des exemples suivants de réflexions, illustrant bien que certaines décisions sont prises à partir de stratégies de reconnaissance et de résolution autres que métagrammaticales, comme l'ont démontré Weber et Legros et Roy. C'est particulièrement évident dans les exemples de grammaire textuelle.

- « tous le monde » – Erreur d'accord du déterminant avec un nom collectif (Activité 1)
- *Faute... ça se dit pas le monde, donc, le tout avec un T pas un S.*
- *Je sais pas si TOUS prend un T ou un S... d'habitude, le tous c'est devant le LES, donc je vais mettre le T.*

Dans le premier cas, le sujet règle son problème en utilisant une analogie sémantique. Dans le second cas, on peut voir que le raisonnement est basé sur l'identification de la position.

- « des produits qu'ont avaient » – Erreur de confusion homophonique : *on/ont* (Activité 2)
- *Le onT, c'est ON.*

Raisonnement basé sur la reconnaissance visuelle.

- « j'aurais appris » (au lieu de *j'ai*) – Erreur de concordance temporelle (Activité 3)
- *À la place de j'aurais appris, juste j'ai appris. Parce que, elle parle comme tout de suite, là. … Elle parle de quand elle a appris, comme.*

Raisonnement logicosémantique.

- « dernièrement » (au lieu de *deuxièmement*) – Erreur de connecteur logique non précédé de son premier membre (Activité 3)
- *Dernièrement puis finalement, ça dit la même chose donc j'enlèverais le dernièrement.*

Cas de raisonnement logicosémantique.

- « cela ne lui arrive pas souvent » (au lieu de *m'arrive*) – Erreur de reprise pronominale (Activité 3)
- *C'est MON réveille-matin… je parle de moi-même… cela ne M'arrive pas souvent.*
- *LU – ah, cela ne M'arrive pas souvent.*

Encore ici, on est dans le logicosémantique. Raisonnements dénués de métalangage, mais dont le résultat se révèle juste.

- « quand à nous » – Erreur de confusion homophonique *quant/quand* (Activité 2)
- *Moi, je dirais QUANT à nous, parce que le son est mieux.*

Stratégie par analogie phonétique.

On peut en conclure qu'il n'y a pas eu appropriation du système, ou de la logique du système de la langue écrite. Peu de mots relèvent du métalangage ici, sauf peut-être ceux se rapportant à la personne grammaticale. Quant à la catégorie « Je ne sais pas », que nous avions placée dans la colonne « sans objet » dans l'analyse quantitative, elle représente un faible pourcentage d'émissions de réflexions puisque, si les sujets ne reconnaissent pas l'erreur – ou plus simplement qu'il y a erreur – ils ne peuvent à l'évidence tenter un raisonnement pour la corriger.

Raisonnements métagrammaticaux

En ce qui a trait aux catégories de raisonnements où l'on trouve du méta-langage, elles représentent la vaste majorité des réflexions émises au cours de cette expérimentation, dont plus de la moitié indiquent des justifications non appropriées aux problèmes linguistiques à résoudre. Le trait commun, c'est que ces raisonnements font tous appel, d'une quelconque manière, à du savoir enseigné, ou si l'on veut, à des traces de l'enseignement reçu. On y observe des énoncés de règles qui se révèlent parfois justes mais parfois non, ou encore partiellement justes; d'autres fois, il s'agit de fragments de règles, où, sur la base d'une règle grammaticale réelle, on aura reconstruit une nouvelle règle, avec ce qu'on a compris, ou retenu, agrégats, dit Weber, allant s'amalgamer au fouillis terminologique, logicosémantique et pseudo-grammatical constituant le savoir du sujet. Rappel ou généralisation de règles, enchevêtrement de règles et procédés de substitution tenant lieu de règles, dont voici des exemples.

A. Raisonnements métagrammaticaux non appropriés

Rappel de règle

- « après avoir régler le différend » – Erreur d'accord de participe passé (Activité 1)
  - *RÉGLER, ça doit être conjugué. Je crois à cause que c'est le 3ᵉ verbe.*

Le terme *conjugué* employé ici appelle immédiatement le savoir sur les accords du verbe.

- « ils ne se sont pas parlés » – Erreur d'accord d'un participe passé pronominal (Activité 1)
  - *Je dirais que PARLÉS il n'y a pas de S, juste un É à la fin. Parce que j'sais pas, quelque chose comme... je sais pas si c'est un participe passé ou quelque chose comme ça... hmm... je suis pas certaine.*

Raisonnement basé sur des savoirs parcellaires où un peu de terminologie est rappelée de-ci de-là et où l'on perçoit des traces de savoir enseigné sans toutefois qu'il y ait une logique grammaticale sous-jacente.

Généralisation d'une règle

- « les rénovations entrepris » – Erreur d'accord d'un adjectif avec le nom (Activité 1)

– *Qu'est-ce qui étaient entrepris? Les rénovations, donc entrepri-E-N-T, 3ᵉ personne du pluriel.*

Raisonnement basé sur les procédures souvent enseignées dans l'accord du verbe. Pour ce sujet, entrepris a valeur de prédicat, sans nul doute. Et que fait-on, en grammaire traditionnelle, pour accorder le verbe? On pose la question *qui est-ce qui…*

- « en ce qui nous concernent » – Erreur d'accord du verbe avec le pronom *ce* (Activité 2)
- *concernE-N-T, je crois pas qu'il y a de E-N-T, la terminaison juste en E. En ce qui concerne, donc juste E.*

Où il y a utilisation du métalangage (-E-N-T, terminaison) et où le sujet rappelle une règle d'accord du verbe à la 3ᵉ personne du singulier qui n'est que sous-entendue et de laquelle – peut-être – il tire une conclusion juste. Raisonnement tronqué : s'agit-il de savoir automatisé? Intuitif? Il semble que le sujet ne sache pas la règle ou n'ait pas besoin de la rappeler. Le problème ici réside dans le « je ne crois pas que », qui laisse entendre que la règle invoquée n'est pas claire. Ou que le savoir ne l'est pas. Ou s'agit-il d'un savoir tellement intégré qu'il se soit quasi automatisé?

Enchevêtrement de règles et procédé de substitution

- « avoir régler le différend » – Erreur d'accord de participe passé (Activité 1)
- *RÉGLER, je crois qu'il y a un accent aigu, car c'est à l'infinitif. J'utilise toujours le truc avoir fini… comme fini/finir.*

Raisonnement basé sur la grammaire des trucs : procédé de substitution, qui confirme que le savoir métagrammatical n'est pas là. À noter l'invraisemblance du raisonnement : *car c'est à l'infinitif.* Mélange de règles qui prouve bien que le concept de verbe n'est pas clair pour ce sujet.

- « un voisin nous avaient fait savoir » – Erreur d'accord d'un verbe avec pronom écran (Activité 1)
- *Je mettrais peut-être avA-I-E-N-T avec pas de E-N-T, juste A-I-T parce que c'est un participe passé… hmm, UN voisin.*

Raisonnement utilisant du métalangage qu'on croirait presque arbitraire, comme si le sujet puisait dans une grande poche les yeux fermés et en tirait des mots de la grammaire à apposer au problème. Règle d'accord du verbe enchevêtrée à une autre concernant le participe passé. À noter la formulation « avec pas ».

- « heureux d'avoir réussit leur pari » – Erreur d'accord de participe passé (Activité 1)
  - *Je dirais que le mot réussi-T ou épuisé ? réussi-T, on dirait que c'est au singulier. Mais c'est ils rentrèrent... donc, la correction serait... hmm... encore une fois je suis pas sûre de la terminaison.*

Quelle serait la logique sous-jacente ? Le sujet applique la règle d'accord du verbe au participe. C'est une solution fréquente chez ces étudiants pour qui un verbe est un verbe, quelle que soit sa constitution. Ici, *réussit* serait un verbe conjugué puisqu'il se présente avec un –*t*. Mais la logique ne fonctionne plus quand on lit le reste de la phrase : ils rentrèrent – pluriel – après avoir *réussit*... Voilà que le sujet ne trouve pas de solution.

- « participer à différent plans de gestion des déchets » – Erreur d'accord de l'adjectif avec le nom (Activité 2)
- *DIFFÉRENT pas de S... mais PLANS il y en a un, donc je sais pas. Il y a plus qu'un plan, donc je vais mettre un S à DIFFÉRENT.*

Raisonnement logicosémantique, où le rappel au métalangage est exprimé par « mettre un –*s* ».

- « vit / vie » – Erreur de confusion homophonique (Activité 1)
- *Elle VIE... V-I-T parce que c'est elle.*

Où l'on perçoit le raisonnement juste et bien intégré de la règle d'accord du verbe. Le danger de ce type de raisonnement est dans une mauvaise identification possible du groupe sujet.

- « peut / peu » – Erreur de confusion homophonique (Activité 1)
- *peuT est pas bien écrit... peu pas, peut... c'est pas le verbe pouvoir, c'est juste « petit peu ».*

Raisonnement utilisant la substitution – un truc – pour se sortir du problème d'homophonie, sans que le sujet puisse par ailleurs identifier et nommer l'adverbe *peu*.

- « en deuxième lieu » – Erreur de connecteur logique (Activité 3)
  - *je vais mettre DE PLUS parce que ça continue sur la même idée.*

- « erreurs que j'ai commises m'avaient permis de » – Erreur de concordance temporelle (Actvité 3)
  - *m'avaient permis ? non, m'ont O-N-T parce que c'est les quelques erreurs.*

Raisonnement basé sur une mauvaise identification de l'erreur (le sujet recherche des erreurs morphosyntaxiques dans un exercice de grammaire textuelle qui en est exempt). Et même si l'erreur de concordance se trouve corrigée, c'est par un heureux hasard, car la raison invoquée n'a rien à voir avec l'erreur de temps verbal.

B. Raisonnements métagrammaticaux appropriés

Ces diverses stratégies constituent finalement, comme l'a si pertinemment dit Weber, le « *kit* de survie de l'élève » ou du locuteur devant résoudre un problème grammatical et pour lequel les règles de la grammaire, et plus généralement la grammaire tout court, ressemblent à une langue étrangère – qu'il est censé posséder, connaitre, comprendre et... utiliser. Ces résultats rappellent ceux de l'étude de Legros et Roy, qui rapporte que les sujets faibles émettent moins de raisonnements faisant appel à une règle ou que leurs raisonnements relèvent dans plusieurs cas d'un amalgame de règles. Rappelons également ce que dit l'étude sociolinguistique aussi rapportée au sujet de la compétence langagière des locuteurs du français de milieu minoritaire, qui, du fait d'une situation diglossique et de l'insécurité linguistique qu'elle implique, ont tendance à faire plus d'erreurs que ceux de milieu majoritaire. On pourrait soutenir que les performances des sujets de notre étude sont comparables à celles des sujets faibles de l'étude de Legros et Roy.

Pour 37,5 % des verbalisations émises lors des tentatives de correction, il s'est agi de raisonnements métagrammaticaux appropriés aux erreurs. Étonnamment, malgré le fait que ces raisonnements s'appuient sur du métalangage généralement approprié, seulement 30,6 % des corrections se sont révélées justes. Cela indique que, dans l'ensemble, il y a eu de la part des sujets un repérage juste des erreurs et surtout une identification juste du type d'erreurs, mais que les certitudes ne sont pas toujours au rendez-vous. En voici des exemples :

- « prendre de nouvelles habitudes en ce qui concernent » – Erreur d'accord du verbe avec le pronom neutre *ce* (Activité 2)
- *concernE-N-T, non, ne devrait pas avoir ce pluriel. C'est ce qui concerne. Le sujet de concerne c'est ce qui, et ça, c'est singulier.*

- « des voisins qui les accueillais » – Erreur d'accord d'un verbe avec le pronom relatif *qui* (Activité 2)
- *accueillaiS, il y a un S, mais ça devrait être E-N-T parce que les voisins, c'est comme s'ils remplaçaient I-L-S.*

- « quel est la conférencière invitée » – Erreur d'accord d'un déterminant interrogatif avec le nom (Activité 1)
- *quel doit être au féminin... parce que c'est la conférencière, donc Q-U-E-L-L-E.*

- « lorsqu'elle le vie » – Erreur de confusion homophonique vit / vie (Activité 1)
- *Parce que vie avec un -e est un nom ; vit, V-I-T est un verbe.*

- « j'aurais appris » (au lieu de j'*aurai*) – Erreur de cohérence textuelle (Activité 3)
- *J'aurais appris... J'aurai – j'aurai ? j'aurai, pas j'aurais, mauvais choix de temps, pas une condition, un futur.*

- « En deuxième lieu, cet étalage » – Erreur de connecteur logique (Activité 3)
- *s'il y a un deuxième lieu, on a besoin d'un premier lieu, donc je dois changer le deuxième lieu... peut-être je dirais d'une part.*

- « leurs aviez-vous dit » – Erreur de choix de catégorie lexicale (Activité 1)
- *Leurs, c'est incorrect. C'est un pronom qu'on doit avoir. Avec le S, c'est un adjectif, donc ici pas de S.*

Ces exemples de raisonnements révèlent des traces de l'enseignement reçu. Malgré d'incontestables maladresses dans l'énonciation de certaines règles ou dans leur rappel, la logique du système transparait. On peut dire que, pour ces sujets, il y a une capacité de réflexion basée sur un savoir cohérent, où les relations fonctionnelles dans la phrase sont généralement comprises et la connaissance des règles, intégrée, et que leur mise en application s'appuie sur le métalangage. C'est la notion de compréhension du système que l'on peut percevoir à travers ces raisonnements.

Finalement, les verbalisations révèlent que le problème est profond, particulièrement sur le plan de la terminologie. Les mots du métalangage semblent vides de sens pour certains sujets qui, tout en les reconnaissant comme appartenant à la grammaire, ne semblent pas en mesure de leur trouver de connotation : le métalangage est et demeure une langue étrangère pour beaucoup. Ce qui ressort surtout de l'ensemble des verbalisations est cette tendance au mélange de règles ou à l'utilisation tous azimuts de la même règle, quel que soit le problème à résoudre. Cela laisse entendre que la logique du système ne s'est pas fait jour au cours de l'apprentissage et que, d'une année à l'autre, on a continué à construire sur la non-compréhension du système de la langue, ce qui a pour résultat cette espèce d'agrégat d'éléments disparates du métalangage, lieu des principaux problèmes de gestion de l'orthographe grammaticale. Comment s'en étonner ? En milieu minoritaire, où l'on vise la survie de la langue et de la culture, l'imposition du standard à atteindre vient brouiller encore un peu plus les cartes : le métalangage est en soi une langue à apprivoiser, mais aussi une langue dans certains cas si loin des vernaculaires qu'elle leur est (relativement) étrangère.

Conclusion

Le discours métagrammatical des étudiants universitaires débutants d'aujourd'hui ne semble pas différer tellement de ce que les études précédentes avaient mis au jour, à savoir les carences dans les connaissances déclaratives et procédurales dans l'application des règles de la grammaire du français écrit, ce qui se traduit par la surutilisation de procédures de substitution relevant souvent de la grammaire des trucs et de la résolution plus sémantique que métalinguistique des problèmes. L'incapacité à discerner si un fait linguistique est fautif ou non est en soi assez révélatrice, sans parler du brouillamini dans lequel on semble souvent s'embourber quand il s'agit de repérer, de nommer, d'expliciter. Ainsi, si l'on se réfère aux études précitées, peu de différences nous apparaissent dans la logique de la réflexion entre les étudiants de milieu minoritaire et ceux de milieu majoritaire, si ce n'est dans l'énonciation, teintée du vernaculaire. Mais le problème se trouve amplifié par le fait qu'il y a plus d'erreurs et que l'aisance à réfléchir de façon métalinguistique est plus étroite. Et, bien que notre échantillon soit restreint, et sans vouloir en faire une règle générale, nous pouvons constater à la lumière de nos résultats que nos étudiants universitaires débutants n'ont pas les préalables requis pour recevoir, comprendre et surtout produire du discours savant.

Car à l'université, il ne s'agit plus simplement de réussir le cours de français, il s'agit plutôt d'apprendre à utiliser une langue intellectuelle, disciplinaire, où la langue d'usage passe de matière scolaire à instrument de communication. Michèle Monballin parle d'« acculturation » pour traduire ce qui attend les nouveaux étudiants à l'université : compréhension fine en lecture de textes savants, compétence rédactionnelle, compétence langagière de base comme préalables à la culture universitaire à acquérir :

> [...] la thèse largement diffusée depuis une vingtaine d'années dans les théories du discours et de la linguistique pragmatique, que la compétence langagière d'un sujet, à fortiori à l'écrit, n'est pas dégagée des contextes où elle s'exerce. Le premier de ces contextes, en l'occurrence, c'est l'*habitus* universitaire, où la communication (écrite en particulier) répond à des attendus et à des prescrits implicites peu connus des étudiants débutants, qui ne sont pas familiers avec ce type d'écrits ; le second, c'est la discipline où s'exerce cette communication scientifique qui, elle aussi, a ses règles (2011 : 2).

Nous ne saurions mieux dire. La maitrise de la langue, particulièrement écrite, demeure une condition *sine qua non* de la réussite d'études postsecondaires.

Ce qui nous amène à poser la question de la remédiation. Que faire, quand et comment ? Si, depuis plus de vingt ans, les efforts consentis – nouvelles approches en enseignement de la grammaire, mesures de remédiation – pour assurer aux études postsecondaires une maitrise suffisante du français ont eu un succès mitigé, en contexte minoritaire, pour toutes les raisons déjà évoquées, la question se pose de façon encore plus aigüe. Il nous apparait que la mise en place de mesures de remédiation n'est pas suffisante et est surtout compensatoire. À l'évidence, pour de réels changements, il faut agir en amont, et cela, le plus tôt possible dans la scolarité. L'une des clés se trouve, selon nous, dans un renouvellement de l'enseignement du métalangage par lequel le locuteur aura accès au fonctionnement du système langagier. Sans une compréhension du lexique du système, comment le comprendre et en venir à le maitriser ?

Certaines prises de conscience se sont fait jour et c'est en ce sens que des actions ont déjà été entreprises, notamment du côté du ministère de l'Éducation de l'Ontario avec son programme-cadre révisé de l'enseignement du français au niveau secondaire (2007) issu de sa politique d'aménagement linguistique. Ce nouveau programme propose une approche tripartite de l'enseignement de la langue, basé d'abord sur l'oral et ses structures afin de permettre un réinvestissement des acquis vers la lecture et l'écrit, en production comme en interprétation. Ainsi, ce programme présente-t-il une « nouvelle approche de l'enseignement de la langue » qui passe d'un enseignement normatif à une approche plus descriptive basée sur l'observation et dont la finalité est que, au sortir du cursus primaire-secondaire, les élèves fassent preuve d'une compétence langagière suffisante leur permettant d'utiliser la langue dans tous ses aspects et dans des contextes variés. Cette recommandation a pour postulat la prise en compte, tout au moins dans sa philosophie, des facteurs inhérents à l'enseignement d'une langue maternelle / première en contexte minoritaire. Avenue prometteuse, selon nous, car ces postulats répondent à la philosophie de la grammaire contemporaine[5] qui a pour principe premier de remettre l'apprenant au centre de ses apprentissages en proposant une démarche scientifique d'exploration des règles de fonctionnement du système langagier par l'observation des phénomènes linguistiques à l'œuvre. Ces pratiques d'observation permettent à la longue une meilleure compréhension du lexique de la grammaire, qui cessera dès lors d'être vide de sens pour ses utilisateurs, et autorisent la prise en compte et la mise à profit des savoirs, même déviants, des apprenants. En contexte minoritaire, une telle démarche – en supposant qu'elle soit proprement menée – permettrait un meilleur arrimage entre le vernaculaire et le standard qui demeure essentiel à acquérir puisque, pour faire des études postsecondaires, les codes standards sont encore et toujours ceux imposés – et attendus. Ce qui revient à dire : enseigner les codes standards sans dénigrer le ou les vernaculaires.

Nous croyons qu'il faudra s'assurer que, dans la pratique, les mesures souhaitées par ce programme-cadre trouvent une résonance auprès des enseignants de français. Car changer les pratiques implique de changer le regard que l'on porte sur l'objet langue et sur son enseignement, sur les standards que l'on impose, toujours empreints, selon François Lépine (1995 : 22), d'une certaine idéologie – cela étant plus particulièrement sensible en contexte minoritaire. Des recherches ultérieures seront néces-

---

[5]   Ou renouvelée, ou nouvelle, ou rénovée, selon ses diverses appellations. L'usage est
      encore flottant.

saires, notamment pour voir dans quelle mesure les pratiques se seront renouvelées et comment elles se vivront au quotidien. On peut souhaiter que des résultats probants se feront jour d'ici une dizaine d'années.

BIBLIOGRAPHIE

BEAUDRY, Nicole (2007). « Le RUSAF s'affiche », *Correspondance*, vol. 13, n° 1 (septembre), p. 1-7, [En ligne], [http://correspo.ccdmd.qc.ca/Corr13-1/Rusaf.html] (novembre 2011).

BEAUDRY, Nicole (2008). « Définir les attentes en termes de maîtrise et de qualité du français oral et écrit à l'université : des compétences communicationnelles et langagières », *Correspondance*, vol. 13, n° 4 (avril), p. 1-10, [En ligne], [http://correspo.ccdmd.qc.ca/Corr13-4/Attentes.html] (novembre 2011).

BERGER, Marie-Josée, et Monica HELLER (2001). « Promoting Ethnocultural Equity Education in Franco-Ontarian Schools », *Language, Culture and Curriculum*, vol. 14, n° 2 (avril), p. 130-141.

BERNARD, Roger (1998). *Le Canada français : entre mythe et utopie*, Ottawa, Le Nordir.

BERNIER, Marie (2010). « Effet d'une formation à l'utilisation d'aides logicielles sur des scripteurs francophones de premier cycle universitaire », *Revue internationale des technologies en pédagogie universitaire*, vol. 7, n° 3, p. 60-72.

BERNIER, Marie, et Renée CORBEIL (2012). « Pratiques de consultation des aides logicielles chez les étudiants franco-ontariens à leur entrée à l'université », *Revue du Nouvel-Ontario*, n° 37, p. 83-107.

BOUDREAU, Annette, et Lise DUBOIS (1994). « L'insécurité linguistique comme entrave à l'apprentissage du français », dans Mourad Ali-Khodja et Annette Boudreau (dir.), *Lectures de l'Acadie : une anthologie de textes en sciences humaines et sociales, 1960-1994*, [Montréal], Éditions Fides, 2009, p. 469-485.

BOUDREAU, Guy (1995). « Processus cognitifs des étudiants du postsecondaire en production de textes », *Revue des sciences de l'éducation*, vol. 21, n° 1, p. 75-93.

BOUTET, Josiane, Françoise GAUTHIER et Madeleine SAINT-PIERRE (1983). « Savoir dire sur la phrase », *Archives de psychologie*, vol. 51, p. 205-228.

COGHLAN, Vickie, et Joseph Yvon THÉRIAULT (2002). *L'apprentissage du français en milieu minoritaire, une revue documentaire*, Ottawa, Centre interdisciplinaire de recherche sur la citoyenneté et les minorités de l'Université d'Ottawa.

CONFÉRENCE DES RECTEURS ET DES PRINCIPAUX DES UNIVERSITÉS DU QUÉBEC (1986). *La connaissance de la langue chez les étudiants universitaires,* rapport du groupe de travail sur la connaissance de la langue préparé à l'intention du Comité des affaires académiques, Montréal.

CONSEIL DE L'EUROPE (2000). *Apprentissages des langues et citoyenneté européenne : un cadre européen commun de référence pour les langues : apprendre, enseigner, évaluer,* Strasbourg, Division des politiques linguistiques.

DALLAIRE, Christine (2004). « "Fier de qui on est… nous sommes francophones!" » : l'identité des jeunes aux Jeux franco-ontariens », *Francophonies d'Amérique,* n° 18 (automne), p. 127-147.

DALLAIRE, Christine, et Claude DENIS (2003). « Pouvoir social et modulations de l'hybridité au Canada : les jeunes aux Jeux de l'Acadie, aux Jeux franco-ontariens et aux Jeux francophones de l'Alberta », *Études canadiennes,* vol. 29, n° 55, p. 7-23.

DUQUETTE, Georges (2006). « Le bilinguisme des élèves inscrits dans les écoles secondaires de langue française de l'Ontario : perceptions, valeurs et comportement langagier », *Revue des sciences de l'éducation,* vol. 32, n° 3, p. 665-689.

GÉRIN-LAJOIE, Diane (2004). « La problématique identitaire et l'école de langue française en Ontario », *Francophonies d'Amérique,* n° 18 (automne), p. 171-179.

GIACOMO, Mathée, *et al.* (2001). *Dictionnaire de linguistique et des sciences du langage,* Paris, Larousse.

GOMBERT, Jean-Émile (1990). *Le développement métalinguistique,* Paris, Presses universitaires de France.

GRÉGOIRE, Claude (2011). « Réécriture et compétences langagières », *Correspondance,* vol. 16, n° 3 (avril), p. 1-2, [En ligne], [http://correspo.ccdmd.qc.ca/Corr16-3/Reecriture.html] (novembre 2011).

GROUPE DIEPE (1995). *Savoir écrire au secondaire : étude comparative auprès de quatre populations francophones d'Europe et d'Amérique,* Bruxelles, Éditions De Boeck.

HALLION, Sandrine (2011). « Discours épilinguistiques en francophonie manitobaine : une vue d'ensemble », *Arborescences : revue d'études françaises,* n° 1 (mars), p. 1-15, [En ligne], [http://www.erudit.org/revue/arbo/2011/v/n1/] (janvier 2012).

HELLER, Monica (1999). « Quel(s) français et pour qui ? Discours et pratiques identitaires en milieu scolaire franco-ontarien », dans Normand Labrie et Gilles Forlot (dir.), *L'enjeu de la langue en Ontario français,* Sudbury, Éditions Prise de parole, p. 129-165.

LAFLAMME, Simon, et Ali REGUIGUI (2003). *Homogénéité et distinction,* Sudbury, Éditions Prise de parole.

LAFONTAINE, Louise, et Catherine LEGROS (1995). « Profils linguistiques, cognitifs et motivationnels d'étudiants du postsecondaire faibles en français écrit », *Revue des sciences de l'éducation,* vol. 21, n° 1, p. 121-144.

LANDRY, Roger, Kenneth DEVEAU et Réal ALLARD (2006). « Langue publique et langue privée en milieu ethnolinguistique minoritaire : les relations avec le développement psycholangagier », *Francophonies d'Amérique,* n° 22 (automne), p. 167-184.

LEBEL, Marie-Élaine (2011). « L'enseignement du français à l'Université de Moncton : une formation axée sur les genres de l'écrit et de l'oral », *Correspondance*, vol. 16, n° 2 (janvier), p. 1-6, [En ligne], [http://correspo.ccdmd.qc.ca/Corr16-2/index.html].

LEFRANÇOIS, Pascale (2003). « Pour un rehaussement de la formation linguistique à l'université », *L'autre forum*, vol. 8, n° 1 (octobre), p. 9-13, [En ligne], [http://sgpum.com/Autre%20Forum/vol8no1.pdf] (novembre 2011).

LEFRANÇOIS, Pascale, *et al.* (2005). « Les mesures d'aide en français et leurs effets : y a-t-il une recette gagnante ? », *Correspondance*, vol. 11, n° 2 (novembre), p. 1-8, [En ligne], [http://correspo.ccdmd.qc.ca/Corr11-2/Recette.html] (octobre 2011).

LEFRANÇOIS, Pascale, *et al.* (2008). *Évaluation de l'efficacité des mesures visant l'amélioration du français écrit du primaire à l'université*, Montréal, Office québécois de la langue française, coll. « Suivi de la situation linguistique », étude 9.

LEGROS, Catherine, et Gérard-Raymond ROY (1995). « Du discours métalinguistique tenu par des étudiants du postscondaire relativement aux accords en genre et en nombre », *Cahiers de la recherche en éducation,* vol. 2, n° 2, p. 295-323.

LÉPINE, François (1995). « Bilan des tests de français à l'admission aux universités québécoises (1987-1994) », *Revue des sciences de l'éducation*, vol. 21, n° 1, p. 17-35.

MOFFET, Jean-Denis (1995). « Des stratégies pour favoriser le transfert des connaissances en écriture au collégial », *Revue des sciences de l'éducation*, vol. 21, n° 1, p. 95-120.

MONBALLIN, Michèle (2011). « L'acculturation à la communication scientifique : nécessité et embûches », *Correspondance,* vol. 16, n° 3 (avril), p. 1-6, [En ligne], [http://correspo.ccdmd.qc.ca/Corr16-3/Acculturation.html] (novembre 2011).

MONBALLIN, Michèle, et Georges LEGROS (2001). « La maîtrise langagière à l'entrée des études supérieures : mythes, constats et essais d'intervention », *Correspondance*, vol. 6, n° 4 (avril), p. 1-8, [En ligne], [http://correspo.ccdmd.qc.ca/Corr6-4/Mythes.html] (octobre 2011).

MONBALLIN, Michèle, Myriam VAN DER BREMPT et Georges LEGROS (1995). « Maîtriser le français écrit à l'université : un simple problème de langue ? », *Revue des sciences de l'éducation*, vol. 21, n° 1, p. 59-74.

PILOTE, Annie, et Marie-Odile MAGNAN (2008). « L'école de la minorité francophone : l'institution à l'épreuve des acteurs », dans Joseph Yvon Thériault, Anne Gilbert et Linda Cardinal (dir.), *L'espace francophone en milieu minoritaire au Canada : nouveaux enjeux, nouvelles mobilisations*, Anjou, Éditions Fides, p. 275-317.

PIRON, Sophie (2008). « La maîtrise du français écrit : où le bât blesse-t-il ? Plaidoyer pour l'analyse syntaxique », *Correspondance*, vol. 14, n° 1 (septembre), p. 1-8, [En ligne], [http://correspo.ccdmd.qc.ca/Corr14-1/index.html] (octobre 2011).

ROY, Gérard-Raymond (1992). *Vers un triple regard sur le français écrit des étudiants de collèges et d'universités,* Sherbrooke, Centre de ressources pédagogiques de l'Université de Sherbrooke.

ROY, Gérard-Raymond (1995). « Résolution de problèmes d'ordre syntaxique par des étudiants du postsecondaire », *Revue des sciences de l'éducation*, vol. 21, n° 1, p. 167-195.

ROY, Gérard-Raymond, et Guy BOUDREAU (1995). « Des objectifs de l'enseignement du français à la pratique discursive : quinze ans plus tard », *Revue des sciences de l'éducation*, vol. 21, n° 1, p. 5-16.

ROY, Gérard-Raymond, et Louise LAFONTAINE (1992). *Étude de la maîtrise du français écrit à l'université*, Sherbrooke, Centre de ressources pédagogiques de l'Université de Sherbrooke.

ROY, Gérard-Raymond, et Catherine LEGROS (1992). « Regard sur la pratique du français écrit au postsecondaire au Québec », dans Gérard-Raymond Roy *et al.* (dir.), *Regard sur le français écrit des étudiants de collèges et d'universités*, Sherbrooke, Centre de ressources pédagogiques de l'Université de Sherbrooke, p. 15-66.

SIMARD, Claude (1995). « L'orthographe d'usage chez les étudiants des ordres post-secondaires », *Revue des sciences de l'éducation*, vol. 21, n° 1, p. 145-165.

VANDENDORPE, Christian (1995). « Apprendre à écrire à l'université : pour une approche contrastive », dans Jean-Yves Boyer, Jean-Paul Dionne et Patricia Raymond (dir.), *La production de textes : vers un modèle d'enseignement de l'écriture*, Montréal, Les Éditions Logiques, p. 301-331.

VIAU, Rolland (1995). « Le profil motivationnel d'étudiants de collèges et d'universités au regard du français écrit », *Revue des sciences de l'éducation*, vol. 21, n° 1, p. 197-215.

WEBER, Corinne (2004). « La culture grammaticale ordinaire : étude de verbalisations métagrammaticales et métacognitives d'apprenants natifs », *Langages,* « Représentations métalinguistiques ordinaires et discours », vol. 38, n° 154 (juin), p. 101-112, [En ligne], [http://www.persee.fr/web/revues/home/prescript/article/lgge_0458-726x_2004_num_38_154_950] (octobre 2011).

La littérature pour la jeunesse ou l'art de « danser dans les chaînes » : trois textes sur la diaspora haïtienne en Amérique du Nord

Antje Ziethen
Université McGill

Prélude

JUSQU'AUX ANNÉES 1980, la littérature pour la jeunesse a suscité peu d'intérêt auprès des chercheurs, qui la reléguaient souvent aux sphères de la paralittérature ou de la littérature « mineure » (Rudd, 2010 : XIII). Elle était considérée comme une littérature facile, aseptique et médiocre – de là la perception répandue qu'elle se servait de recettes toutes faites, d'une narration simple et d'allusions explicites. Le préjugé persiste donc que la littérature pour la jeunesse privilégie la didactique au détriment de l'esthétique. « Écrits à des fins pédagogiques, [les textes] [feraient] davantage passer des informations, des connaissances, des savoirs, qu'une qualité littéraire » (Prince, 2010 : 25). Qui plus est, s'imposent aux auteurs nombre de défis non seulement sous la forme des exigences du jeune lectorat, mais également des attentes des médiateurs adultes qui veillent sur les valeurs morales, d'autant que ce sont eux qui achètent les livres (parents, bibliothèques, éditeurs, enseignants, gouvernement). Nathalie Prince se demande si la littérature de jeunesse ne constitue pas une sorte de littérature à contraintes – contraintes de sujets, de longueur, de vocabulaire et de syntaxe (2010 : 24). Or, si ce type de textes se fonde sur « un système formel construit à partir de contraintes choisies par l'auteur avant de commencer à écrire le texte » (Lebrec, 2012 : 5), la littérature pour la jeunesse ferait pourtant figure d'exception, les limites n'y étant pas choisies par l'auteur, mais imposées par le lectorat. Par conséquent, les contraintes de lecture précéderaient celles imposées par l'écriture. Écrire pour les jeunes, serait-ce donc « danser dans les chaînes[1] » (Nietzsche, 1988 : 546, 612) ?

---

[1]   Je dois cette citation de Nietzsche – qui l'a empruntée à Voltaire – à la conclusion de Nathalie Prince (2010).

Francophonies d'Amérique, n° 33 (printemps 2012), p. 79-94

Les chercheurs conviennent, en règle générale, que la littérature de jeunesse s'adresse à un double destinataire – autant le jeune que l'adulte : « Tous les écrivains fantasment des lecteurs potentiels, mais dans le cas de la littérature de jeunesse, ils doivent séduire à la fois les lecteurs novices et leurs tutelles » (Chartier, 2010). David Rudd remarque, à ce sujet, que

> the notion that children's books somehow stand apart in this regard, being "just for kids", clearly makes little sense when one examines the institutional infrastructure of publishing, bookselling and, indeed, at the adult authorship of the works being studied[2] (2010 : xiv).

Rudd et d'autres chercheurs s'opposent à la dépréciation de la littérature pour la jeunesse dans le champ critique / universitaire. Comme toute autre production littéraire, les récits s'adressant aux jeunes sont façonnés par une langue, une manière de structurer la narration et la mise en scène de divers personnages (Rudd, 2010 : xiv). Pour Michel Tournier, auteur de *Vendredi et la vie sauvage*, « produire un livre qui soit accessible aux enfants relève de la perfection : non pas de la paralittérature, mais une manière de surlittérature. Rien ne peut être laissé au hasard. Il faut alléger le style jusqu'à l'épure, se défaire des fioritures vaines, viser l'essentiel au sens littéral du terme » (cité dans Prince, 2010 : 179). Dans *Vous avez dit « littérature » ?*, Christian Poslaniec souligne que la littérature pour la jeunesse ne se différencie pas de la littérature tout court, « que ce soit par les thèmes ou par l'écriture » (de Grissac, 2006). Isabelle Nières-Chevrel appuie cette argumentation, affirmant que la littérature pour la jeunesse fait appel « aux mêmes outils littéraires que la littérature générale, mais selon une chronologie et des valeurs de sens qui lui sont propres » (2009 : 115). Enfin,

> [l]es enfants ne sont pas plus « manipulables et naïfs » que beaucoup de lecteurs adultes, ils entrent de plain-pied dans la lecture symbolique, même si, « comme le grand public », ils ne pratiquent pas une lecture formelle des codes lettrés. On trouve parmi eux l'éventail habituel des lecteurs, ennuyés, rétifs, négligents, distraits, appliqués, sagaces, voire experts, selon la qualité des médiations et le talent des médiateurs. On a écrit pour eux des fables, des contes, du théâtre, de la poésie, des romans, bref, tous les genres littéraires, sauf l'épopée et la tragédie, mais celles-ci ont aussi disparu de la « grande littérature » au xixe (Chartier, 2010).

---

[2]   « L'idée que les livres pour la jeunesse se démarqueraient en quelque sorte à cet égard, n'étant adressés "qu'aux enfants", ne se comprend que si l'on tient compte de l'infrastructure institutionnelle de l'édition, de la vente des livres et, en effet, des auteurs adultes des œuvres étudiées. » (Nous traduisons.)

La légitimation (universitaire) de la littérature pour la jeunesse s'est traduite également par sa désignation (controversée) en tant que genre littéraire. Mais les opinions divergent. Alors que Daniel Delbrassine et Nathalie Prince insistent sur la notion de « genre », Isabelle Nières-Chevrel considère que la littérature pour la jeunesse « ne constitue un genre ni d'un point de vue formel, ni d'un point de vue esthétique et thématique » (2009 : 115). Le lectorat à la fois large et protéiforme (de la prime enfance à l'adolescence) et la diversité des livres proposés ne permettraient pas d'établir une cohérence générique. Pour Nières-Chevrel, la littérature pour la jeunesse se veut plutôt un champ littéraire duquel émanent plusieurs genres (bande dessinée, roman d'aventures, roman policier, science-fiction, album, etc.).

À la lumière de ces prolégomènes, le présent article se propose de sonder un corpus de littérature pour la jeunesse provenant d'auteurs haïtiens de la diaspora nord-américaine, afin d'étudier les procédés narratifs, les sujets abordés et l'aspect pédagogique des romans. À partir des œuvres de Marie-Célie Agnant (*Alexis d'Haïti* et *Alexis, fils de Raphaël*) et de Stanley Péan (*La mémoire ensanglantée*), résidant tous deux au Québec, ainsi que d'Edwidge Danticat (*Behind the Mountains*), installée à New York, nous interrogerons la manière dont ce genre infléchit les topoï de la littérature dite postcoloniale dans un univers d'enfants et d'adolescents. Nous montrerons que ces trois auteurs transposent, en mots et en images, des phénomènes prégnants de notre époque tels le multiculturalisme, le décalage social, la migration, la diaspora, l'identité plurielle et les pratiques transnationales. Quoique soumise à des contraintes de contenu et de forme, leur écriture invente des stratégies destinées à plonger le jeune lecteur dans un univers à la fois connu et inconnu, parfois injuste et violent. Nonobstant la représentation de la souffrance, de l'exclusion ou du malaise, se déploie, à travers la parole simple mais imaginative des jeunes héros, un monde fabuleux, où se conjuguent aventures, épreuves, dépassement et rencontres enrichissantes. Dans un geste d'ouverture, Edwidge Danticat, Marie-Célie Agnant et Stanley Péan prolongent l'espace haïtien pour y inclure les villes de New York, Miami et Montréal, et nouent l'histoire de leur île d'origine à celle d'autres régions d'Amérique dont elle devient partie intégrante. De leurs textes émergent des desseins multiples : divertir, inspirer, disséminer, sensibiliser et éduquer un lectorat prêt à se laisser emporter, à apprendre davantage, autant sur soi-même et que sur autrui.

Les procédés narratifs

Daniel Delbrassine constate que la plupart des romans de jeunesse adoptent la perspective du « je », « ici » et « maintenant ». Cette stratégie contribue à générer une tension par l'effet du « direct », du « *live* », résultant de la simultanéité du récit et de l'action (Delbrassine, 2006 : 237-240). Telle est également la démarche empruntée par les auteurs de notre corpus. De fait, ils recourent tous à une narration à la première personne et au présent de sorte que le personnage principal et l'instance narrative se conjuguent. Le roman autofictif d'Edwidge Danticat, par exemple, adopte la forme du journal intime écrit par Céliane, une jeune fille de 12 ans. Stanley Péan, pour sa part, met en scène le personnage de Leïla, une adolescente d'environ 16 ans, alors que les romans de Marie-Célie Agnant gravitent autour d'un garçon de 11 ans, Alexis. Ainsi, dans tous ces romans, le narrateur ou la narratrice intradiégétique ont le même âge que le lecteur présupposé. Cet aspect est central parce que le protagoniste sert de « point d'ancrage essentiel de la lecture et [est] son attrait majeur » (Delbrassine, 2006 : 248). Le jeune lecteur peut immédiatement s'identifier au personnage principal, parce que la lecture le projette dans un univers qui ne lui est pas complètement hermétique. « La fascination de l'identique, grâce au pacte de lecture offert par le roman [...], autorise une plongée dans un univers parfaitement réglé et régi par des codes – linguistiques, musicaux – ou des repères – vestimentaires, gestuels – qui correspondent à une quête de soi » (Prince, 2010 : 96). Lecteur et personnage sont confrontés, chacun à sa façon, à des problèmes typiques d'enfant / d'adolescent : l'école, les relations conflictuelles avec leurs parents, le premier amour, l'amitié. Qui plus est, le lecteur évolue en confident du protagoniste dont il partage dès lors les secrets les plus intimes. Adoptant donc la position du meilleur ami, il devient le témoin de la vie intérieure du héros, voire de sa vulnérabilité, ce qui le rattache d'entrée de jeu à l'ensemble du texte (Delbrassine, 2006 : 253). Nathalie Prince parle alors d'un personnage « sursignifiant » qui dépasse, et même précède, son propre texte (2010 : 112). Le lecteur représenterait en quelque sorte le prolongement du héros (ou vice versa) dont l'importance « transcende la narration et l'intrigue » (Prince, 2010 : 128).

Selon Daniel Delbrassine, la littérature pour la jeunesse s'avère être de plus en plus complexe et élaborée – un fait qui se reflète dans la « désintégration de la structure narrative traditionnelle [...], dans un usage complexe du temps et de l'espace, dans une intertextualité croissante » (2006 : 228). Il évoque la notion de narration ouverte qui se caractérise par le « recours à l'implicite », à « l'ambivalence des personnages », au « symbolique », à la « polysémie » et à l'intertextualité (2006 : 230). C'est notamment ce type de narration que l'on retrouve dans *La mémoire ensanglantée* de Stanley Péan. L'auteur se sert de la mise en abyme spatio-temporelle pour faire émerger un univers parallèle dans lequel la protagoniste Leïla est peu à peu absorbée. De la sorte, elle se trouve projetée dans une époque révolue mais marquante de l'histoire d'Haïti : le règne de Papa Doc Duvalier. Tandis que les romans de Marie-Célie Agnant et d'Edwidge Danticat respectent une progression strictement linéaire, celui de Stanley Péan bouleverse l'ordre chronologique en faisant virevolter, dans un tourbillon macabre, le présent et le passé, l'île d'Haïti et la région montréalaise. D'emblée, le rapport entre ces deux dimensions n'est pas clair, mais chaque page sème un nouvel indice. Ce faisant, les connexions se mettent en place de façon progressive – autant pour le personnage que pour le lecteur. Plus l'univers parallèle – jailli d'un autre espace-temps – interfère avec le présent et en prend possession, plus se dessinent les contours du personnage jumeau de Leïla : Nina. De notre point de vue, l'écriture de Stanley Péan diffère de celle plutôt conventionnelle et explicite de Danticat et d'Agnant. Elle requiert davantage d'attention de la part du lecteur et le laisse participer à l'histoire en l'incitant à rassembler les indices, à formuler des hypothèses et, enfin, à essayer de résoudre le mystère. Chez Danticat et Agnant, en revanche, les protagonistes se chargent d'explications et d'interprétations quelque peu prédigérées, canalisant de la sorte l'implication du jeune lecteur et la concrétisation qu'il opère. Toutefois, le public cible de Péan est plus âgé, ce qui permet à l'auteur d'expérimenter davantage. Cette possibilité ne s'offre pas de la même façon à Danticat et Agnant qui s'adressent aux 10 à 12 ans. Serait-ce la raison pour laquelle l'univers romanesque et le style dans *La mémoire ensanglantée* de Péan rappellent ceux de ses textes pour adultes – un rapprochement qui ne s'impose pas nécessairement chez Agnant et Danticat? En outre, Péan se sert de procédés intertextuels lorsqu'il convoque d'autres œuvres littéraires et le jazz[3]. Ainsi, il convie, plus explicitement qu'implicitement, *Beloved* de Toni Morrison et *I've Grown Accustomed to her Face* de Nat King Cole. Les textes d'Agnant et de Danticat ne créent pas ce genre d'échos.

---

[3]   Par ailleurs, Péan anime une émission de jazz sur la chaîne de radio *Espace Musique* (Radio-Canada).

Dans ces romans, la trame émerge d'une suite de dislocations spatiales. Reprenant les mots d'Edward Saïd, l'histoire y « découle [...] d'une géographie discontinue » (2008 : 588). En raison de leur thématique, les romans s'ancrent profondément dans l'espace transnational produit par les mouvements des populations migrantes. Centrés sur la diaspora haïtienne, les textes sont tous façonnés par la rupture spatiale et par la chronologie tourmentée que vivent les protagonistes. Cette discontinuité est provoquée tantôt par le départ d'Haïti (Danticat et Agnant), tantôt par l'interférence d'un univers parallèle (Péan). D'habitude, tel que le souligne Delbrassine, l'espace représenté dans la littérature de jeunesse reste souvent réduit « à l'univers familier, à l'environnement scolaire immédiat, au quartier de la ville » alors que le cadre temporel s'oriente du côté des « unités significatives pour le lecteur, comme l'année scolaire ou les vacances d'été » (2006 : 249). Certes, ces observations s'appliquent, au moins en partie, aux romans des trois auteurs, dans lesquels l'école « paraît le plus souvent comme une toile de fond qui structure le temps et fournit la principale forme de socialisation aux jeunes personnages » (Delbrassine, 2006 : 352). Cependant, les textes analysés dépassent ce cadre simpliste et unifié en mettant en scène l'espace haïtien à la fois divisé et dilaté en raison de la situation diasporique. L'intrigue repose ainsi sur une dynamique duale, conjuguant l'aliénation dans un lieu étranger au processus subséquent de familiarisation. Les quatre romans prolongent, par le sujet de l'immigration, l'espace haïtien et l'univers du protagoniste vers le nord, c'est-à-dire vers les États-Unis ou le Canada, où les immigrés évoluent dans une nouvelle communauté. En comparaison avec les textes d'Edwidge Danticat et de Marie-Célie Agnant, l'univers romanesque de Stanley Péan est animé par une démarche inverse. Dans ce cas, c'est Montréal qui s'ouvre sur l'espace haïtien par l'insertion de scènes se déroulant dans l'Haïti des années 1960. Alors que Danticat et Agnant représentent le processus d'immigration « en direct », Péan met en lumière la situation de la deuxième génération d'Haïtiens au Canada. Il s'ensuit que les expériences et les perspectives des protagonistes divergent. Céliane et Alexis sont amenés à intégrer un nouvel espace en dehors d'Haïti, pendant que Leïla, par une ruse de l'auteur qui s'apparente au réalisme merveilleux, est propulsée de son Montréal natal en terre haïtienne. Pour les premiers, Haïti demeure un point d'ancrage même dans l'exil ; pour la dernière, en revanche, l'île reste une vision étrangère, sinon une image floue. Se juxtaposent donc deux lieux et deux notions du « chez soi », chacune dévoilant différentes facettes de la diaspora haïtienne.

Somme toute, quel que soit leur cheminement précis, tous les protagonistes sont déplacés dans un monde inconnu où s'effectue la rencontre avec l'Autre, où sera mise à l'épreuve leur capacité à s'adapter, à se dépasser tout en restant fidèles à eux-mêmes. Le lecteur assiste alors à leurs efforts pour « reconstituer une identité à partir des réfractions et discontinuités » (Saïd, 2008 : 247). Plongés dans une « zone de contact » (Pratt, 1992 : 6), tous les protagonistes « franchissent les frontières, brisent les barrières de la pensée et de l'expérience » (Saïd, 2008 : 255). La coupure avec Haïti n'est pourtant jamais définitive. En témoignent d'abord l'adhésion à une communauté – elle aussi souvent haïtienne – dans le pays d'accueil et, ensuite, le contact régulier avec la famille ou les amis restés au pays. Par ces pratiques, les immigrants créent un champ social élastique qui rattache Haïti au Canada ou aux États-Unis, enjambant les distances géographiques (Levitt et Waters, 2002 : 10).

Les sujets

Les romans de notre corpus abordent une grande variété de thèmes oscillant entre les sphères privée et publique, le présent et le passé, l'ici et l'ailleurs. Dans cette perspective, force est de constater que l'histoire individuelle est étroitement nouée à l'histoire collective haïtienne. Chez Agnant et Danticat, le départ du jeune protagoniste s'inscrit dans une situation de détresse déclenchée par un événement violent, à l'instar de l'emprisonnement du père d'Alexis par les milices du président Duvalier ou des violences lors des élections présidentielles de 2000 dont sont victimes Céliane et sa mère. De cette manière, les auteurs peuvent conscientiser le lecteur à des faits historiques et politiques ayant marqué Haïti, les lui faire vivre par un corps à corps avec le héros. Stanley Péan, quant à lui, intègre l'histoire haïtienne dans son récit par des « détours », c'est-à-dire en convoquant les souvenirs d'autres personnages (Nina, les parents et Granny Irma). Les auteurs n'évoquent pas seulement les problèmes politiques et sociaux en Haïti, mais également dans les pays d'accueil respectifs. Plus encore, ils dessinent des parallèles et empêchent la cristallisation de constellations binaires telles que bon / mauvais, supérieur / inférieur, chez moi / chez eux, etc. Edwidge Danticat réfère à plusieurs reprises aux élections présidentielles de 2000 que George W.

Bush a gagnées après le fameux « recomptage » de la Floride. Elle insiste, ce faisant, sur la nature parfois ambiguë et fragile des élections, lesquelles peuvent semer la controverse et diviser un pays, et ceci autant aux États-Unis qu'en Haïti. Elle évoque également les guerres des gangs de rue dans les *projects* de Brooklyn et la difficulté des immigrants (légaux et illégaux) à gagner leur vie malgré une charge de travail souvent double. Marie-Célie Agnant, pour sa part, juxtapose l'emprisonnement du père d'Alexis par les tontons macoutes et l'incarcération du jeune garçon et de sa mère dans le camp de réfugiés aux Keys, qui ressemble davantage à une prison entourée de barbelés. Le traitement discriminatoire et inhumain des réfugiés par la police et les geôliers amène Alexis à remettre en question le choix de sa mère de fuir Haïti, car leur situation ne s'est guère améliorée. L'ostracisme et la ségrégation, voire une « géographie de l'exclusion » (Sibley, 1995), sont des thèmes récurrents dans le roman d'Agnant (surtout lors de la séquence à Miami) tout autant que dans celui de Danticat, où la famille de Céliane se retrouve dans une des cités malfamées de Brooklyn. Stigmatisés par le statut d'étrangers, voire d'intrus, les exilés sont relégués en périphérie de la société américaine. Seul le roman de Stanley Péan renonce à ce genre de représentation. La famille de Leïla est bourgeoise, bien intégrée et installée en plein Montréal. Chez Péan, ce n'est pas tant le pays d'accueil qui est en proie à la peur de l'Autre, mais plutôt l'immigré lui-même (ici le père de Leïla) qui distille des préjugés envers des Québécois et ses confrères caribéens.

Outre la politique, l'histoire et la société, les auteurs ménagent une place importante à la famille empreinte de ruptures et de retrouvailles. Les romans de Danticat et d'Agnant se font en effet une « quête désespérée d'un foyer propice à l'épanouissement » (Delbrassine, 2006 : 355), lequel a été brisé par la situation politique et économique dans le pays d'origine. Céliane part d'Haïti avec sa mère et son frère pour rejoindre son père qu'elle n'a pas vu depuis cinq ans. Alexis, lui aussi, quitte Haïti en compagnie de sa mère pour échapper aux Duvalier et aux tontons macoutes. La situation des deux familles peut être qualifiée de transnationale parce que, paradoxalement, la « géographie discontinue » a produit une sorte de continuum dans lequel sont négociées les notions de passé et de présent, d'ici et d'ailleurs. Le transnationalisme se définit notamment par une

> *social, economic, and political interconnectedness across national borders and cultures [which] enables individuals to sustain multiple identities and loyalties,*

create new cultural products using elements from a variety of settings, and exercise multiple political and civic memberships[4] (Levitt et Waters, 2002 : 6).

Pendant cinq ans, le père de Céliane a envoyé de l'argent de New York pour soutenir sa femme et ses enfants, lesquels dépendaient de ces allocations. La famille d'Alexis, déchirée entre Haïti et Miami / Montréal, s'inscrit dans cette même dynamique. Mais, cette fois-ci, c'est l'enfant qui soutient son père à distance en lui procurant de l'aide sous forme d'une organisation non gouvernementale qui surveille le traitement des prisonniers haïtiens. Autre symptôme d'une existence bipolaire, la vie de toutes les familles se déroule dans deux mondes simultanément, haïtien et non haïtien. Au pays d'accueil se dessinent certains écarts entre les sphères privée et publique par la transition entre les langues (créole / français ou anglais), différents codes vestimentaires (costume au travail ou uniforme à l'école et habits haïtiens à la maison) et pratiques culturelles (musique, cuisine, etc.). Enfin, la réalité transnationale se lit dans le vif intérêt pour la politique actuelle que les personnages suivent à la radio en créole ou dans des journaux, tant haïtiens qu'américains ou canadiens. Les textes ne passent pas sous silence l'attitude ambiguë des exilés envers leur pays d'accueil.

They may be grateful to the new country for their freedom and the prosperity they can potentially have there, but they are often unable to accept the new country fully because it cannot provide all the things the refugees lost when they were forced to leave their homeland[5] (Don C. Locke, cité dans Chattarji, 2010 : 426).

Quoique les auteurs documentent les difficultés rencontrées par les immigrants, ils articulent, au fond, un discours assez consensuel sur l'exil. Les personnages résistent à une posture nativiste en réponse autant à l'aliénation qu'à l'assimilation et à l'acculturation. Nonobstant les obstacles et les sacrifices, l'immigration est dépeinte comme une histoire à succès, prônant l'intégration réussie et la richesse d'une double appartenance – au pays d'origine et au pays d'accueil.

---

[4]   « [...] interdépendance sociale, économique et politique au-delà des frontières nationales et de cultures [qui] permet aux individus d'avoir des identités et des loyautés multiples, de créer de nouveaux produits culturels en utilisant des éléments à partir d'une variété de paramètres et d'exercer de multiples appartenances politiques et civiques. » (Nous traduisons.)

[5]   « Ils sont reconnaissants envers le nouveau pays de leur procurer, au moins de façon potentielle, la liberté et la prospérité, mais ils sont souvent incapables d'accepter pleinement le pays d'accueil, car il ne peut pas fournir tout ce que les réfugiés ont perdu quand ils furent forcés de quitter le pays d'origine. » (Nous traduisons.)

Afin de rapprocher la fiction du monde référentiel dans lequel évolue le lecteur, la vie familiale ne se présente pas toujours comme harmonieuse, mais en butte à des conflits entre deux générations. Par conséquent, les textes intègrent tous un discours qui disqualifie les parents. « Les parents [...] sont impuissants, indécis, dépassés et doivent être pris en charge par leurs enfants : façon de perpétuer le thème mythique de "l'enfant sauveur", qui puise dans sa faiblesse une force vitale irrésistible » (Chartier, 2010). Le conflit entre parents et enfants est dû, en premier lieu, à des difficultés de communication, notamment dans le roman de Danticat où la longue absence du père provoque un certain mutisme de la part de Céliane. Une fois la famille réunie, elle ne voit d'autre issue que d'écrire une lettre à son père, qu'elle côtoie pourtant dès lors au quotidien, afin d'exprimer ses émotions et son opinion sur certains sujets. Il en est de même pour les autres textes. Leïla a certes une bonne relation avec sa mère, mais ses rapports avec son père se sont considérablement détériorés. Celui-ci refuse de regarder sa fille pour ce qu'elle est : une jeune femme. Alexis, quant à lui, se dispute souvent avec sa mère. De son point de vue, elle baisse les bras trop vite et fait trop de compromis. Autrefois, les gens l'appelaient « Flamme » en raison de son engagement politique et de ses efforts incessants à défendre les paysans contre les abus des grands propriétaires. À la fin des romans, malgré les disputes et les malentendus, les membres de la famille se retrouvent, plus riches d'expériences et de compréhension mutuelle. Lorsque Leïla découvre l'histoire tragique de Nina, qui s'est suicidée après avoir été violée par des tontons macoutes, elle se rapproche de son père et comprend mieux sa réserve à l'égard de certains Haïtiens et des garçons qui s'approchent de sa fille. Céliane, quant à elle, incite les membres de sa famille à se mettre dans la peau de l'autre et à voir les choses d'une perspective différente. Elle réussit même à réconcilier son père et son frère qui ne se parlaient plus. Alexis, enfin, aide sa mère à rallumer sa « Flamme » éteinte par le régime Duvalier.

Dans la littérature pour la jeunesse, plus que dans n'importe quelle autre littérature, se pose la question du contenu approprié. C'est la raison pour laquelle Daniel Delbrassine la qualifie de littérature « sous surveillance », qui impose aux auteurs un processus d'autocensure (2006 : 271). En effet, elle risque de devenir stérile, voire purgée de tout pessimisme et amoralité. L'univers qui se déploie dans les textes ressemblerait alors à un cocon qui protège de la dure réalité. Même si Péan, Danticat et Agnant s'efforcent de dévoiler la sinistre vérité, ils ne perdent jamais de vue le lecteur, prenant en considération sa capacité à comprendre et à réagir. En comparaison avec leurs textes pour adultes, ceux pour la jeunesse se conforment aux lois écrites et non écrites où l'équilibre entre « exigence de réalisme et exigences morales » est très fragile (Delbrassine, 2006 : 312). Tout en se pliant aux contraintes imposées, les auteurs ne se censurent pourtant pas à tout prix, exposant le jeune lecteur – quoique à un degré plus modéré – à des thèmes délicats et difficiles. Dans aucun des romans analysés, l'intrigue se construit simplement sur la vie quotidienne et banale. Au contraire, elle est envahie, dès le départ, par des événements lugubres. La violence, le viol, la mort, l'injustice, la torture et la peur sont souvent à l'origine même du parcours du héros / de l'héroïne. L'évocation du viol de Nina chez Péan, les violences lors des élections en Haïti dans le roman de Danticat, l'emprisonnement du père d'Alexis, la traversée des *boat people* et la cruauté des tontons macoutes chez Agnant révèlent, avec une certaine retenue à l'égard des détails, l'abject, l'inhumain, la terreur et la souffrance. Ces sujets problématiques sont abordés non seulement avec franchise, mais également avec espoir. En fin de compte, le protagoniste s'en tire toujours sain et sauf, ébranlé certes, mais jamais complètement abattu ou perdu. Comme l'ont constaté Lucy Pearson et Kimberley Reynolds, « *the need for a happy ending has been characterized as a fundamental characteristic of children's literature [...]*[6] » (2010 : 69). C'est à travers le protagoniste, c'est-à-dire à travers sa manière de vivre ces expériences sinistres, d'en apprendre et de les assimiler que les auteurs dictent ou dirigent, en quelque sorte, leur réception auprès des jeunes lecteurs. Leïla, Céliane et Alexis, bien que blessés psychiquement et physiquement, affrontent leurs angoisses et mobilisent une énergie qui leur permet de traverser ces moments difficiles avec lucidité. Et cela, même s'il leur serait plus facile de les refouler ou de les oublier ainsi que l'auraient préféré certains personnages adultes. Plus encore, les jeunes incitent les autres à suivre leur exemple. Malgré leur tristesse, leurs souffrances et leurs peurs, ils surmontent les obstacles et enjambent les épreuves pour en ressortir grandis, plus forts et matures.

La composante pédagogique

Le lecteur de la littérature pour la jeunesse « se conçoit toujours, de près ou de loin, comme un individu inchoatif, en progression, en apprentissage »,

---

[6]   « Le besoin d'un *happy ending* représente une caractéristique fondamentale de la littérature pour la jeunesse. » (Nous traduisons.)

raison pour laquelle « le livre – comme d'ailleurs n'importe quelle autre expérience – s'accompagne de nombreuses leçons » (Prince, 2010 : 25). Convergent donc en ce champ littéraire deux fonctions que certains critiques voient comme contradictoires : la didactique et l'esthétique (Attikpoe, 2007 : 25). Les uns revendiquent que l'art, l'œuvre poétique, ne doit jamais se soumettre « aux forces étrangères » (Attikpoe, 2007 : 25) de la morale et de la pédagogie, d'autres insistent sur le rôle important de la littérature pour la jeunesse « dans l'acquisition de la compétence littéraire », dans le développement du goût pour la lecture et dans la formation sociale, culturelle, identitaire des jeunes (Attikpoe, 2007 : 27). Dans cette dernière perspective, la plupart des romans pour les jeunes transmettent les valeurs à partir d'un « apprentissage exemplaire » fondé sur une réciprocité entre le sujet fictif (le protagoniste) et le sujet réel (le lecteur). « Si le protagoniste évolue vers une position euphorique, le lecteur est incité à le suivre dans *la bonne voie*. Si le protagoniste finit mal, son échec sert également de leçon ou de preuve, mais cette fois a contrario : son destin permet au lecteur de voir *la mauvaise voie*, sans la suivre » (Delbrassine, 2006 : 368). Par le biais d'une « pédagogie invisible » (Delbrassine, 2006 : 368), les auteurs invitent le lecteur à se méfier des idées simples et des schémas caricaturaux, à mettre en doute ses partis pris, à tenir compte des nuances et à « fonder son jugement sur des valeurs supérieures » (Delbrassine, 2006 : 376). Les romanciers étudiés promeuvent l'importance de la tolérance, de la persévérance, de la famille, de l'amitié, de la patience et du respect de l'autre. Toutefois, le pivot central reste la capacité des jeunes à changer les choses et influencer les actes des adultes. Témoins d'injustice et de souffrances, Céliane, Alexis et Leïla s'approprient une agentivité sur les plans familial, social et parfois même politique. Dans le cas d'Alexis, celle-ci prend des dimensions transnationales parce qu'elle réunit les efforts d'Alexis, de sa communauté montréalaise et d'une organisation non gouvernementale pour faire venir son père au Canada.

Chacun des protagonistes traverse un parcours initiatique qui se compose de quatre étapes : séparation, réclusion, métamorphose, révélation (Delbrassine, 2006 : 374). Leïla, dans *La mémoire ensanglantée* de Stanley Péan, est enfermée dans la vieille maison de Granny Irma sans contact régulier avec sa famille ou d'autres personnes. Elle y subit un processus de métamorphose déclenché par ses allers-retours « surnaturels » entre le présent montréalais et le passé haïtien. Tout en découvrant un côté de son identité jusque-là inexploré, elle aide Granny Irma à exorciser les démons du passé. Céliane, héroïne du roman d'Edwidge Danticat, est d'abord séparée de son père et ensuite de son pays natal, ses grands-parents et ses amis lorsqu'elle part pour New York. Elle se retrouve avec sa famille dans un appartement exigu situé dans une ville inconnue et labyrinthique. Par conséquent, son univers se limite, au départ, à celui de la cellule familiale. Les expériences à l'école et les tensions insupportables dans sa famille la poussent à faire entendre sa voix d'enfant auprès des adultes, à prendre confiance en elle-même et en ses jugements. Alexis, le protagoniste de Marie-Célie Agnant, subit également la séparation de son père et d'Haïti. Pendant leur séjour au camp de réfugiés, sa mère et lui sont condamnés à la passivité et à l'immobilité. La séquestration provoque pourtant une prise de conscience et une colère, desquelles se dégage une énergie démiurgique. Alexis décide de devenir maître de son destin, d'arrêter d'attendre que les adultes interviennent à sa place et d'agir par lui-même. C'est ainsi qu'il libère non seulement les autres réfugiés détenus en Floride, mais également son père incarcéré par les tontons macoutes. Tous ces personnages prennent conscience du fait que leur jeunesse n'est pas un handicap mais un précieux atout leur permettant de s'imposer et de participer, à part entière, à la vie sociale et à la construction d'une communauté. Enfin, les récits se terminent sur une ouverture parce que « [c]'est au seuil de la "vie nouvelle" du héros que se termine l'histoire d'apprentissage » (Delbrassine, 2006 : 372). Le lecteur quitte l'univers du héros et rentre dans son propre monde, enrichi de ses aventures, de ses voyages et rencontres. Dans ce sens, l'écriture et la lecture s'avèrent avant tout des gestes de partage puisque le héros, et à travers lui l'auteur, fait participer le lecteur à son expérience, « permettant à ce dernier de la faire sienne » (Delbrassine, 2006 : 367). Les mots et images investis par l'imaginaire lui ont dévoilé un monde pluriel mais complexe, attirant mais plein de défis. En plongeant ses yeux dans les pages du livre, le lecteur ne s'est pas seulement projeté au-delà de son horizon, mais il a aussi participé à un processus d'apprentissage et de transmission.

Enfin se pose une dernière question : qui sont les lecteurs modèles ? Ou, autrement dit, pour qui écrivent ces auteurs ? Si l'on peut convenir que les romans s'adressent principalement aux lecteurs de l'âge des héros, il nous semble qu'ils sont accessibles autant aux lecteurs haïtiens, ou d'origine haïtienne, qu'aux lecteurs non haïtiens. Clare Bradford écrit à ce sujet que les romans dotés d'une dimension multiculturelle (et écrits par des auteurs appartenant à un groupe ethnique / culturel particulier) « *[…] seek to offer indigenous children experiences of narrative subjectivity while enabling the non-indigenous children to engage with cultural difference*[7] » (2010 : 45). Elle explique ensuite que ces romans trouvent un public très hétérogène « *because they are not too different*[8] », portant sur un sujet conventionnel (la formation identitaire du héros) et se déroulant, au moins partiellement, dans un espace « *mainstream* » (Bradford, 2010 : 49). Adhérant à ce schéma, notre corpus conjugue l'universel au particulier, le connu à l'inconnu, l'ici à l'ailleurs, afin de parler de la diaspora haïtienne à un lectorat aussi inclusif et diversifié que possible. Les textes d'Agnant, de Danticat et de Péan – comme toute littérature – bâtissent des ponts, partagent des expériences et explorent des thèmes communs tels l'identité, la peur, le voyage, l'amour, la société, les défis, les échecs et les réussites. Leur univers fictionnel est façonné par les leitmotivs que l'on connaît de la littérature postcoloniale pour adultes – l'exil, la migration, le racisme, la corruption, l'aliénation, l'appartenance, etc. À l'instar de Chinua Achebe, Léopold Sédar Senghor, Maryse Condé, Gisèle Pineau et bien d'autres écrivains (s'adressant habituellement à un lectorat adulte), Agnant, Danticat et Péan se sont prêtés au jeu, à l'aventure et surtout au plaisir d'écrire « tout simplement » pour les jeunes. Nonobstant les contraintes, ils ont inventé des mondes possibles à travers le verbe et l'imagination. Cette ingéniosité ne relève pas de la didactique mais de l'art, de l'esthétique. Si tant d'auteurs se plaisent à écrire à la fois pour un jeune public et un public adulte, la dichotomie séparant une littérature « déchaînée » (adulte) d'une littérature « enchaînée » (jeunesse) n'est-elle pas inopérante ? Après tout, tel que l'ont affirmé Voltaire et Nietzsche, tout acte poétique est une « danse dans les chaînes ».

---

[7]   « […] cherchent à offrir à des enfants autochtones des expériences de subjectivité narrative d'une part et de l'autre, la possibilité pour les enfants non autochtones de se frotter à la différence culturelle. » (Nous traduisons.)

[8]   « […] c'est parce qu'ils ne sont pas trop différents. » (Nous traduisons.)

BIBLIOGRAPHIE

AGNANT, Marie-Célie (1999). *Alexis d'Haïti*, Montréal, Hurtubise HMH.

AGNANT, Marie-Célie (2000). *Alexis, fils de Raphaël*, Montréal, Hurtubise HMH.

ATTIKPOE, Kodjo (2007). « La littérature de jeunesse entre normes pédagogiques et littéraires : le cas des pays francophones d'Afrique », *Review of Education*, vol. 53, n° 1, p. 23–37.

BRADFORD, Clare (2010). « Race, Ethnicity and Colonialism », dans David Rudd (dir.), *The Routledge Companion to Children's Literature*, Londres, Routledge, p. 39-50.

CHARTIER, Anne-Marie (2010). « Isabelle Nières-Chevrel : *Introduction à la littérature de jeunesse* », *Strenæ*, n° 1, [En ligne], [http://strenae.revues.org/91] (2 février 2012).

CHATTARJI, Subarno (2010). « "The New Americans": The Creation of a Typology of Vietnamese-American Identity in Children's Literature », *Journal of American Studies*, vol. 44, n° 2 (mai), p. 409-428.

DANTICAT, Edwidge (2002). *Behind the Mountains*, New York, Scholastic.

DE GRISSAC, Guillemette (2006). « La littérature de jeunesse : un continent à explorer ? », sur le site *IUFM* (Institut universitaire de la formation des maîtres) *de La Réunion*, [En ligne], [http://www.reunion.iufm.fr/Dep/Lettres/articles/litterature-jeunesse.pdf] (3 février 2012).

DELBRASSINE, Daniel (2006). *Le roman pour adolescents aujourd'hui : écriture, thématiques et réception*, Créteil, SCÉREN-CRDP de l'Académie de Créteil.

LEBREC, Caroline (2012). *Le discours de la contrainte*, thèse de doctorat, Toronto, Université de Toronto.

LEVITT, Peggy, et Mary C. WATERS (2002). « Introduction », dans Peggy Levitt et Mary C. Waters (dir.), *The Changing Face of Home: The Transnational Lives of the Second Generation*, New York, Russell Sage Foundation, p. 1-30.

LOCKE, Don C. (1998). *Increasing Multicultural Understanding: A Comprehensive Model*, Londres, Sage Publications.

NIÈRES-CHEVREL, Isabelle (2009). *Introduction à la littérature de jeunesse*, Paris, Didier Jeunesse.

NIETZSCHE, Friedrich (1988). *Sämtliche Werke: Kritische Studienausgabe*, Colli et Mazzino Montinari (éd.), Munich, Deutsche Taschenbuch Verlag / Walter de Gruyter, t. II.

PÉAN, Stanley (2005). *La mémoire ensanglantée*, Montréal, La courte échelle.

PEARSON, Lucy, et Kimberley REYNOLDS (2010). « Realism », dans David Rudd (dir.), *The Routledge Companion to Children's Literature*, Londres, Routledge, p. 63-74.

PRATT, Mary Louise (1992). *Imperial Eyes: Travel Writing and Transculturation*, Londres, Routledge.

PRINCE, Nathalie (2010). *La littérature de jeunesse : pour une théorie littéraire*, Paris, Armand Colin.

RUDD, David (dir.) (2010). *The Routledge Companion to Children's Literature*, Londres, Routledge.

SAÏD, Edward (2008). *Réflexions sur l'exil et autres essais,* Arles, Actes Sud.

SIBLEY, David (1995). *Geographies of Exclusion: Society and Difference in the West*, Londres, Routledge.

Fuite et écriture dans *Terrains vagues*
de Michel Dallaire

François Ouellet
Université du Québec à Chicoutimi

L E DÉBUT DES ANNÉES 1990 marque un tournant dans la brève histoire de la littérature franco-ontarienne. Alors que son émergence, dans les années 1970-1980, avait été étroitement liée à un espace identitaire communautaire, les années 1990 opèrent un déplacement vers des considérations individuelles, voire transnationales. Lucie Hotte (2002) a parlé, à ce sujet, du passage du particularisme comme esthétique à la revendication universaliste. Le cheminement de Jean Marc Dalpé, « super héros de la culture franco-sudburoise » (Perrier, 2007 : 310) qui, après la poésie de *Gens d'ici*[1] et son expérience du théâtre collectif, développe une voix « personnelle[2] », ou encore l'évolution de Daniel Poliquin qui, en 1990, avec *Visions de Jude*, inaugure ce qu'il a appelé sa période esthétique par opposition à « l'impulsion idéologique » (Ouellet, 1995-1996 : 56) qui avait animé ses romans précédents, en sont d'excellents exemples.

L'œuvre du poète et romancier Michel Dallaire est particulièrement significative de la tendance universaliste. Mais, chez lui, on ne saurait parler de « passage » ou de « transition » du particularisme vers l'universalisme dans l'évolution de son écriture, car d'emblée il inscrit son œuvre dans l'universalisme, lequel prend la forme, dans ce cas précis, d'une visée « transnationale ». Ainsi, *L'œil interrompu* (1985), son premier roman, introduisait un journaliste canadien qui, parti de San Francisco, se trouvait

---

[1] Selon Robert Dickson, ce recueil serait « le seul recueil identitaire » franco-ontarien, « [e]n ce qu'il s'identifie totalement à la communauté franco-ontarienne et à l'ensemble de ses traditions » (2005 : 198).

[2] « Première partie [de ma carrière], c'est l'écriture collective, qui m'a amené vers l'écriture personnelle : c'est certainement une grande articulation, un moment clé », disait Dalpé dans un entretien avec Robert Dickson (2003 : 95).

mêlé de près aux désordres d'un régime dictatorial en Amérique du Sud. Pour un début, on ne pouvait mieux tourner le dos aux préoccupations identitaires du Nouvel-Ontario ; à moins de considérer le départ vers l'ailleurs comme une manière de problématiser, par la bande, l'identité franco-ontarienne, dès lors perçue, par défaut, sous le signe du malaise, voire du refus.

C'est encore cette perspective de fuite que met en avant le deuxième roman de Dallaire, *Terrains vagues* (1992), dont je traiterai dans les prochaines pages. Dans ce cas-ci, le passage du particularisme vers l'universalisme est « théorisé » au sein même du roman par l'entremise du regard critique que porte la narratrice sur sa communauté d'origine, ce qui donne à l'écriture un relief identitaire plus complexe, plus profond par rapport au roman précédent. *Terrains vagues* est par ailleurs d'autant plus fin que l'universalisme, loin d'être ici célébré pour lui-même, naît en quelque sorte par défaut, résulte du malaise existentiel de la narratrice.

L'héroïne de *Terrains vagues*, une jeune femme anonyme native d'un village francophone du nord de l'Ontario, tient une sorte de journal de voyage qui constitue le roman que nous lisons. Avec son amoureux, Sacha, elle voyage en Europe. Elle raconte ce qu'elle voit et ce qu'elle ressent, s'interroge sur le sens de son écriture, évoque le passé et la communauté qu'elle a quittés. Le plus important est moins ce qu'elle découvre pendant son voyage que ce qu'elle fuit. Enfant, la jeune femme a subi des attouchements sexuels d'un oncle ; cette agression a été volontairement tue par la famille, ce qui a ajouté à la douleur et à l'humiliation de la victime une intraitable rancœur. Le récit reste plus ou moins vague sur cet épisode, évoqué par bribes et dont on sait surtout l'effet dévastateur qu'il a eu sur l'enfant devenue une adulte honteuse et « traumatisée ». Pour essayer une fois pour toutes de se libérer de ce passé angoissant, celle-ci a tourné le dos à sa famille et à sa vie antérieure et est partie en espérant ne jamais revenir.

Les principales évocations de l'événement traumatisant sont regroupées entre les pages 81 et 88. Un bref extrait livre tout le propos du récit :

> Comment dire les bribes accumulées ? Refoulées depuis maintes et maintes années par nécessité de fuir quelque événement dont on n'arrive jamais à se défaire ? [...]

> Mensonges de bonnes familles transmis de père en fille... Pour des siècles et des siècles. Amen !

*

Que peut-on pour l'enfant que nous étions? Au loin, là-bas. À longueur de bras, de vie.

*

Rupture. L'évasion par les mots, le voyage inédit.

Interdit (Dallaire, 1992 : 83-84).

Le texte fractionne l'écriture en brèves séquences narratives, ce découpage poétique se trouvant formellement à recouvrir la difficulté de parole de la narratrice. Celle-ci écrit son journal, mais c'est un journal fragmenté, « en miettes » (Ionesco), parce que l'expérience dont elle cherche à rendre compte a toujours été étouffée par la famille et qu'elle n'arrive elle-même à articuler distinctement cette expérience.

Le mot clé ici est « interdit », le dernier de l'extrait cité. Il désigne bien sûr l'agression sexuelle, donc une transgression commise à l'égard de l'enfant. Il désigne surtout l'effet même de cette interdiction sur l'enfant : ayant refoulé l'événement traumatisant dont elle se sent honteuse et coupable, elle s'interdit d'en parler. Au lieu de dénoncer l'agression, elle a ravalé sa parole, faisant de celle-ci un nouvel interdit ou « inter-dit », puisque ce qui est cerné ici, c'est la relation de la jeune femme avec sa propre parole, son incapacité à se dire à elle-même d'abord, puis aux autres, les choses. Le journal qu'elle écrit visera donc à faire échec au double sens du mot « interdit », et donc à *dire*. Il s'agit bien de rompre avec l'ordre ancien de la parole communautaire et mensongère, donc d'opérer une évasion par la parole, d'exprimer ce qui pendant trop longtemps n'a pas été dit; de prendre prétexte du voyage pour rendre une parole inédite.

Dans le cadre de cet article, je voudrais rendre compte de la manière dont le texte débat cette question centrale. La volonté de « dire » de la narratrice trouve son assise dans l'écriture du journal, une forme narrative qui comporte, au moins en partie, une valeur réparatrice. Toutefois, on verra que l'entreprise de la narratrice aboutit à un échec, malgré un certain avancement psychologique. En effet, la mise en scène de la parole se déploie dans un espace-temps fort problématique; cette représentation spatio-temporelle s'accompagne, sur le plan de l'écriture, de formes intertextuelles qui témoignent de la progression mitigée du parcours intime de la narratrice.

Un espace-temps problématique

La narratrice a quitté son lieu d'origine pour essayer de refaire sa vie ailleurs. Mais elle est constamment en mouvement, aussi bien dans l'espace, toujours entre deux lieux, que dans le temps, toujours tiraillée entre les mauvais souvenirs et l'espoir d'une autre vie. Temps et espace sont indissociables, comme le suggère cette formule saisissante : « Entre le passé et la prochaine destination » (p. 73). La narratrice se déplace d'Amsterdam à Paris, de Paris à Nice et à Cannes. On ne sait où elle se rendra ensuite. La seule chose qui lui importe est d'être « ailleurs ».

Cette errance est à l'image de sa propre quête intérieure. Le déplacement physique d'un lieu à l'autre accompagne, en effet, un déplacement intérieur entre le passé et l'avenir. L'espèce d'entre-deux ou de vide physique dans lequel elle se trouve pendant tout le récit, son incapacité à se fixer, tient au fait qu'elle n'arrive pas à réellement prendre sur soi son propre passé, qu'elle reste encore trop fragile, trop vulnérable vis-à-vis du traumatisme de jadis. Tant qu'il en sera ainsi, son déplacement dans l'espace sera instable et précaire.

Aussi l'écriture du journal prend-elle place à la jonction de l'espace extérieur et du temps intérieur. L'écriture mime la quête spatio-temporelle. C'est pourquoi l'incipit propose l'image de la course automobile comme métaphore de l'écriture. D'abord, l'image de la piste de course balise un espace conquérant entre le point de départ et le point d'arrivée. Mais ce développement s'inscrit aussi dans le temps, puisqu'il s'agit d'atteindre le plus rapidement possible la ligne d'arrivée. Sauf que cet espace-temps est constamment relancé, car l'écrivain-pilote doit faire plusieurs tours de piste pour compléter la course. « Se tromper souvent et poursuivre sous le drapeau jaune avant de reprendre. [...] Et toujours cette peur de ne pas pouvoir terminer la course, de ne pas aboutir » (p. 12), écrit la narratrice. À l'exemple de la course, l'écriture est incertaine, elle va de l'avant tout en faisant retour sur elle-même, comme si la narratrice ignorait la direction à prendre : « La méthode : la course vers l'inconnu. [...] Sauf que je n'arrive pas à trouver la direction voulue, celle qui me lancerait... » (p. 13). Si la traversée de l'espace-temps est nécessaire, la réussite est donc pour le moins incertaine. C'est en vain que la narratrice cherche à atteindre la ligne d'arrivée au-delà de laquelle le passé n'existerait plus et une autre vie s'ouvrirait à elle.

D'emblée, elle indiquait : « Je tourne en rond, au fond de moi-même, tentant de découvrir les causes, de mesurer l'étendue des effets » (p. 14). Cette idée du recommencement, du piétinement, restera centrale dans tout le récit. Ce recommencement peut recevoir une double signification. D'une part il est lié aux origines, donc tourné vers le passé : « Recommencer. Retour constant au point de départ » (p. 82). D'autre part il évoque une autre vie, il est donc tourné vers l'avenir : « La vie d'un village bien ordonné où tout le monde connaît sa place et n'a comme option réelle que de partir. On arrive à l'âge de partir et de recommencer » (p. 109). Dans *Terrains vagues*, l'héroïne fait constamment le va-et-vient entre ces deux postures, lesquelles sont idéalement complémentaires puisque, à force de repasser sur les traces des origines, le sujet balise la voie qui lui permettra de se libérer du passé. Sauf que l'héroïne de Dallaire ne parvient pas à construire cet espace-temps de liberté.

Cette relation problématique à l'espace-temps est approfondie par l'auteur à travers une série d'intertextes, dont certains sont allusifs. Je citerai ceux qui m'apparaissent être les principaux en regard de la question qui nous occupe, celle de la traversée du traumatisme.

À la recherche du temps perdu

L'incipit de *Terrains vagues* semble évoquer l'incipit le plus célèbre de la littérature, celui d'*À la recherche du temps perdu* de Marcel Proust :

> Longtemps, je me suis couché de bonne heure. Parfois, à peine ma bougie éteinte, mes yeux se fermaient si vite que je n'avais pas le temps de me dire : « Je m'endors. » Et, une demi-heure après, la pensée qu'il était temps de chercher le sommeil m'éveillait ; je voulais poser le volume que je croyais avoir dans les mains et souffler ma lumière ; je n'avais pas cessé en dormant de faire des réflexions sur ce que je venais de lire, mais ces réflexions avaient pris un tour un peu particulier ; il me semblait que j'étais moi-même ce dont parlait l'ouvrage : une église, un quatuor, la rivalité de François 1er et de Charles-Quint (1982 : 11).

Voici le début de *Terrains vagues* :

> Il y a longtemps que je suis partie. Du moins il me semble. Dernièrement, j'ai l'impression de ne pas pouvoir m'imaginer à un endroit assez longtemps pour m'y attacher, pour plonger des racines. Comme si cela m'engageait à je ne sais quelle sottise qui ressemblerait à la permanence […] (p. 9).

L'adverbe « longtemps » enclenche évidemment la référence intertextuelle. Dans chacun des cas, cet adverbe met l'accent sur la dimension temporelle du récit, mais en se rapportant d'abord à une posture d'immobilité chez Proust et à une posture de mouvement chez Dallaire, encore que la deuxième phrase de *Terrains vagues* jette un soupçon sur l'efficacité de ce mouvement. Mais de la même façon que le mouvement de la narratrice de Dallaire camoufle une forme d'immobilisme (le sentiment de faire du surplace malgré le déplacement), l'immobilisme du dormeur, chez Proust, fait bientôt place au mouvement, à la transformation identitaire : l'identité du dormeur subit des mutations, se métamorphose au·gré de l'interpénétration du sommeil et du réel. L'idée est la même chez Dallaire : la narratrice, sous le coup d'une instabilité identitaire, est incapable de s'attacher à un endroit, de la même façon que Marcel, le narrateur proustien, perd pied et bascule dans un monde qui lui échappe; et comme Marcel se transforme, la narratrice de Dallaire refuse la permanence, court après celle qu'elle espère devenir.

Toutefois, l'intertexte proustien affleure dans *Terrains vagues* pour être contredit par l'expérience de la narratrice. Si l'histoire de la *Recherche* est celle du temps perdu, les choses se présentent autrement pour le personnage de Dallaire en raison du traumatisme de l'enfance. En effet, comment la narratrice pourrait-elle réchapper un passé qui l'a meurtrie au point de l'amener à quitter à tout jamais les lieux que ce passé évoque? Le temps n'est pas à retrouver ici, mais à oublier. Toutefois, comme la narratrice en est incapable, elle piétine, elle semble destinée à revenir en arrière tout en avançant, comme nous le fait comprendre sa réécriture maladroite de l'incipit de *Terrains vagues* : « Je patauge dans mon journal. Je reviens constamment au début, réécrivant la première phrase et tentant (en vain) de m'y reconnaître, d'ouvrir les portes du subjectif, sauvage et souvent impénétrable » (p. 35). Cette stagnation, cette errance *dans* et *de* l'écriture, nous font voir toute la difficulté de la narratrice de se soustraire au poids des années, qui au lieu d'être saisies dans un moment épiphanique, comme chez Proust, s'accumulent chez elle dans un désordre qui est à l'image du traumatisme qui la hante et qu'elle reste incapable de surmonter. Au plaisir de la mémoire involontaire se substitue donc ici une mémoire tenace et lourde comme un péché : « Je me sens angoissée par la durée de la mémoire » (p. 40). « L'empreinte des premières désillusions gravées à tout jamais dans la mémoire » (p. 42). De sorte que « [l]a mémoire [est] comme un inépuisable pays sans frontière » (p. 82) qui accompagne la narratrice dans ses déplacements (d'une ville à l'autre, d'un bar à l'autre, d'une chambre d'hôtel à l'autre), qui habite tout l'espace infini de la honte et de la douleur. Faute d'être une recherche du temps perdu, *Terrains vagues* ne peut, au mieux, qu'offrir à la narratrice la « recherche d'une méthode » (p. 72) pour gérer le temps, donc pour apprendre à dépasser l'enfance meurtrie.

Dans ce désastre intime, le souvenir de la grand-mère de la narratrice semble pouvoir sauver le passé. Celle-ci écrit, à ce sujet, cette autre variation proustienne :

> Je repense à ce que me disait ma grand-mère, mais déjà, malgré moi, son visage devient de plus en plus flou.

> À treize ans, on ne pense pas que le temps sera si brutal, qu'il effacera les visages tant aimés. Qu'un jour, on combattra, pour retrouver ce que le destin ou le hasard nous enlève, nous arrache. Que tout sera à recommencer. Que nous devrons fonder ce que nous devenons sur de vagues souvenirs qui devront nous suffire.

> Je cherche autour de moi et tente de repérer ce visage dont j'oublie déjà les traits (p. 71).

On sait que, à la fin du dernier volume de la *Recherche*, Marcel découvre sa vocation d'écrivain, car il a compris que seule l'écriture permet de préserver le temps, de retrouver le temps et une vérité intérieure. C'est ainsi qu'il va combattre ce que le destin nous enlève, pour reprendre les mots de la narratrice de Dallaire, et écrire la *Recherche*. Il en va autrement pour celle-ci, dont l'écriture incertaine, entre le journal et la fiction, ne parvient pas à restituer le portrait de la grand-mère, unique souvenir bienveillant d'un passé autrement à rejeter en bloc. Ce souvenir est en somme sacrifié par la nécessité de la quête, qui « se poursuit inlassablement » (p. 48), puisque ce n'est que dans l'éloignement que la narratrice peut espérer trouver une autre vie. Aussi, tandis que la *Recherche* est le roman écrit après-coup par le narrateur, *Terrains vagues* est écrit en même temps que nous le lisons, suivant le désordre d'un sujet soumis au poids accablant de l'espace-temps.

Menaud maître-draveur

Un second intertexte, lui aussi allusif, surgit immédiatement après l'intertexte proustien de l'incipit, car il est en quelque sorte le corollaire du « longtemps » de la *Recherche*. Une phrase l'annonce : « Une voix m'arrive du passé. Voix d'ancien professeur ou de poète [...] » (p. 9). Cet intertexte se précise quelques pages plus loin : « Nous sommes venus de loin... De plus en plus d'ailleurs ! » (p. 19) Comment ne pas entendre ici *Menaud maître-draveur*, qui lui-même s'alimentait de l'intertexte de Louis Hémon ? Une fois de plus, Dallaire joue son incipit contre un autre incipit célèbre[3].

Dans le roman de Félix-Antoine Savard, la phrase se lit comme ceci : « Nous sommes venus il y a trois cents ans et nous sommes restés… » (1969 : 31). Dans le roman de Dallaire, le « Nous sommes venus de loin » est un véritable leitmotiv. Cette phrase est reprise tout au long du récit, la plupart du temps par Sacha. Comme dans le cas de l'exemple proustien, le récit vise à prendre le contre-pied du discours de l'hypotexte. C'est pourquoi *Terrains vagues* laisse la phrase systématiquement inachevée : « – Je suis venu de loin, répète-il sans poursuivre » (p. 32). « – Je suis venue de loin… La phrase incomplète » (p. 68). « – Je suis venu de loin, dit-il à nouveau. Et voilà qu'il ne reste plus qu'à entrevoir la suite » (p. 85). Etc. Chaque fois, la narratrice précise que la phrase est inachevée ; par ailleurs, cette phrase est toujours à la première personne. Le « je » s'est donc substitué au « nous » de la communauté, et l'inachèvement a remplacé la certitude de la possession de l'espace-temps de *Menaud*. Du coup, tout le discours anticommunautaire du roman semble passer par cette référence littéraire : « Les événements d'un autre siècle me reviennent comme un cours d'histoire appris par cœur. Il était une fois un continent perdu… Malgré moi, malgré tout » (p. 107). Cette posture intertextuelle alimente de la sorte la fracture avec les solidarités franco-ontariennes des années 1970 : « Je me dis que l'époque du *tous pour un* est révolue, que ce sera dorénavant le *chacun pour soi* » (p. 18). À travers l'intertexte savardien, la narratrice se trouve ainsi à déconstruire le récit identitaire de l'*ici* et *maintenant* de l'époque de la Coopérative des artistes du Nouvel-Ontario (CANO) pour lui opposer la recherche d'une forme encore inachevée, mais qui à coup sûr valorise l'*ailleurs* et le *plus tard*. En espérant un jour que la phrase puisse aboutir : « – Je suis venu de loin… Je me dis qu'il [Sacha] devra un jour le terminer ce bout de vers, ce début de texte qui ne mène nulle part. Maudit » (p. 62-63).

Alors que l'intertexte proustien fait état de l'impuissance de la narratrice devant le passé et saisit celle-ci dans sa dimension intime, l'intertexte

---

[3]   On pourrait évidemment voir la personne même de Mgr Savard dans la figure du professeur et poète. Mais il faut plutôt y entendre le souvenir de Fernand Dorais, que Dallaire a connu à l'Université Laurentienne.

savardien marque la volonté de la narratrice d'évacuer résolument le passé et positionne celle-ci en regard de la question nationale. Mais en bout de ligne ces intertextes se recoupent, car si la narratrice renverse la valeur historique et mémorielle du pays au profit d'une valeur a-historique et a-mémorielle, c'est que, par ce renversement, elle évacue de sa mémoire le souvenir du viol. D'un intertexte à l'autre, il s'agit donc d'alléger ou d'abolir la mémoire traumatisée au gré de la distance qui éloigne de plus en plus la narratrice du lieu d'origine ; dans les mots de cette dernière, cela signifie avoir « [l]a mémoire courte après être venue de si loin... » (p. 109).

Les yeux baissés

Un troisième intertexte, plus imposant par sa présence explicite dans le texte et par l'insistance de la narratrice à le nommer, est constitué du roman *Les yeux baissés* de Tahar Ben Jelloun, paru en 1991, donc seulement un an avant *Terrains vagues*. À la différence des deux précédents, cet intertexte reçoit une valeur positive : au lieu d'être contesté par le texte, il semble permettre à la narratrice de progresser de manière constructive dans sa quête.

Alors qu'elle vient d'arriver à Paris, où elle prend une chambre dans un hôtel d'un quartier arabe, la narratrice entre dans une librairie et achète le roman de Ben Jelloun. Elle explique le choix de ce roman par sa propre ressemblance avec l'héroïne : « Choix approprié : une enfant qui s'exile, quitte son pays natal pour se lancer à la découverte de Paris » (p. 47). *Les yeux baissés* met en scène une jeune fille, Rhadia, qui voit se réaliser son désir de quitter son village natal (dans le sud du Maroc) quand sa famille décide d'émigrer à Paris. La suite du roman relate l'apprentissage de la liberté et de l'indépendance de Rhadia, qui apprend à ne plus baisser les yeux d'abord devant l'autorité de ses parents, puis face à son mari et aux épreuves de la vie. Il s'agit globalement d'une quête de libération des traditions ancestrales et communautaires.

Ce roman accompagne la narratrice un certain temps : « Je plonge à nouveau dans *Les yeux baissés* de Ben Jelloun. Je me retrouve au sud du Maroc, à Agadir, malaxant temps et lieux » (p. 65). Mais ce qui importe ici est l'expression du titre du roman, dans laquelle la narratrice reconnaît son attitude de soumission d'autrefois devant l'agression de son oncle. En baissant le regard, la narratrice n'avait fait que refouler l'acte d'agression ;

de sorte que ce qui a été refoulé reste susceptible de refaire surface, donc de ramener à l'avant-plan ce qu'elle ne veut pas voir. Si l'attitude courageuse de l'héroïne de Ben Jelloun lui montre la marche à suivre, une scène dont elle est témoin à Nice lui prouve que rien n'est réglé dans son cas. Tandis qu'elle se trouve avec Sacha, elle voit « une grande fille noire » portant une jupe de cuir s'approcher de Sacha et lui offrir ses services pour « 200 balles ». « Je baisse les yeux. Je me tais » (p. 73), commente la narratrice. La prostituée va néanmoins continuer d'habiter la pensée de la narratrice : cette grande fille noire, qu'elle imagine originaire d'Algérie, lui apparaît, à elle, « Négresse blanche du Nouvel-Ontario » (p. 107), comme « [u]ne sœur qui a depuis longtemps cessé de poser les questions agaçantes, qui font mal » (p. 74). La prostituée est comme une sœur de la narratrice, mais aussi, en raison des origines que lui prête la narratrice, de l'héroïne maghrébine de Ben Jelloun. La prostituée et l'héroïne du roman se confondent en quelque sorte, car chacune vit sans baisser les yeux. Elles ont cessé de se poser des questions « agaçantes ».

La prostituée, de manière toute particulière, donne l'exemple d'un rapport assumé à son propre corps et à l'agression des hommes. Dans un sens, la narratrice vit une relation physique équilibrée avec les hommes : en témoigne sa relation avec Sacha. Mais en même temps, la prostituée lui rappelle les agressions de son oncle, comme si elle-même s'était prostituée auprès de celui-ci. Cette double posture de la narratrice (amoureuse de Sacha et victime de son oncle) s'entremêle subtilement dans l'écriture de son journal :

> Je pense à elle en faisant l'amour avec Sacha. Je m'en veux. Je revois la même jupe de cuir, les mêmes hanches sur le même trottoir, un peu plus fatiguées.

> Je veux lui dire que je n'ai rien contre elle, qu'elle est aussi une fille du monde, une valeureuse combattante, qu'il existe des liens qui nous unissent malgré tout (p. 74).

On voit comment la narratrice investit sa propre expérience personnelle dans l'image de la prostituée : le « Je m'en veux » renvoie bien sûr à sa propre honte, tandis que la répétition du « même » dévoile chez elle une expérience similaire, à ceci près que la narratrice a autrefois baissé les yeux, cependant que la prostituée regarde dans les yeux les hommes à qui elle se vend. Citons encore cet autre extrait qui, cette fois-ci, lie (par le truchement de la jupe de cuir) l'expérience de l'une et de l'autre :

> Je revois une jupe de cuir. Les seins nus d'une femme. La fille que j'étais, jeune et naïve et soumise et abandonnée à ce qu'elle savait, ce qu'elle sait toujours,

en secret. Je sens à nouveau mes seins de jeune femme – nouveaux et fermes et fragiles – entre les dents d'un vieux malade détesté par toutes les jeunes femmes de la famille, victimes avant leur temps, qui ont *choisi* de se taire pour des siècles et...

Le silence (p. 87).

Si l'épisode complémentaire de la prostituée et de la lecture du roman de Ben Jelloun occupe une place centrale dans le journal de voyage, la narratrice reste toutefois limitée par le bénéfice libératoire qu'elle peut en tirer. Sans doute ce dernier intertexte a-t-il une valeur constructive, contrairement aux précédents, qui problématisent le rapport au passé de la narratrice et traduisent la volonté de cette dernière à opérer une sortie hors de la communauté. Mais au terme du roman, la narratrice ne sera pas parvenue à trouver sa place dans le monde et, pourrait-on dire, à se trouver bien dans sa peau.

Dans ces conditions, le dernier mot de l'extrait précédent sera aussi celui du roman. Dans la dernière page, la narratrice s'imagine sur un plateau de tournage. « Soudain, j'entends retentir le clap. – Tout le monde en place! Silence, on tourne! » (p. 119) Cette ultime phrase sonne comme l'aveu d'un échec flagrant. La jeune femme, qui a quitté son pays à la recherche d'un ailleurs où elle pourrait refaire sa vie, aboutit finalement dans l'espace du rêve, de l'imaginaire, de l'image. Le « silence » du plateau, qu'on entend par rapport à l'expérience traumatisante de jadis, traduit parfaitement ce qui est refoulé derrière ce qui est montré ; et le « on tourne » évoque on ne peut mieux l'impasse géographique dans laquelle se trouve physiquement la narratrice : malgré tous ces kilomètres parcourus depuis son village du nord de l'Ontario, elle n'aura fait que tourner en rond, que tourner à l'intérieur d'elle-même.

En guise de conclusion :
un roman de la conscience individuelle

Dans son chapitre sur le genre romanesque dans l'*Introduction à la littérature franco-ontarienne*, Lucie Hotte situe l'œuvre de Michel Dallaire dans la catégorie « Roman de l'espace » :

Confrontant l'ici à un ailleurs toujours redéfini, que ce soit « les pays du Sud » dans *L'œil interrompu* (1985), l'Europe dans *Terrains vagues* (1992), le Mexique dans *L'enfant de tout à l'heure* (2000) ou la Côte d'Ivoire dans *Famien (sa voix dans le désert* [sic]), l'écrivain cherche continuellement à établir des ponts entre les individus et les cultures, à traverser les frontières, qu'elles soient culturelles, linguistiques ou raciales (2010 : 220).

C'est pourquoi, estime-t-elle, Dallaire est « l'auteur d'une œuvre où la préoccupation première est la rencontre de l'autre[4] » (2010 : 220). Le propos n'est pas tout à fait faux, mais il s'agit d'une observation trop générale – même si c'est le propre des introductions de se placer sur ce plan – pour rendre compte de ce que racontent vraiment les romans de Dallaire. La traversée de l'espace, la volonté d'une rencontre avec l'autre, ne sont pas une fin en soi, mais seulement le prétexte pour dire autre chose de plus fondamental, de plus complexe.

La narratrice agit moins *pour* l'autre que pour fuir, donc *contre* ce qu'elle fuit : la communauté dont elle est originaire, sa famille, son passé, son mal de vivre, ses malheurs, sa honte. C'est le refus du pays des origines lié à une certaine incapacité à assumer l'expérience traumatisante du viol qu'elle a subi qui pousse la narratrice vers l'autre, qui l'oblige, en somme, à chercher une nouvelle vie ailleurs. L'ailleurs de l'autre n'est pas positivement marqué, il est essentiellement une échappatoire au traumatisme dont découle tout le récit[5]. L'autre n'est que l'*effet* d'une cause qui donne tout son sens à l'écriture.

De même, la traversée spatiale est au service d'autre chose, qui s'énonce par la situation du personnage en regard d'un événement passé; autrement dit, la traversée spatiale est déterminée par une traversée temporelle. La traversée spatiale relève de l'extérieur : le déplacement de la narratrice s'effectue dans l'espace physique, elle cherche à fuir une situation intenable. La traversée temporelle relève de l'intériorité du personnage : le déplacement est intériorisé, la narratrice se situant entre le passé traumatisant (le viol) et l'avenir, auquel elle demande l'affranchissement de ce passé. Il s'agit d'une quête identitaire marquée par une volonté de se

---

[4]   Lucie Hotte, en collaboration avec Johanne Melançon, a cherché à illustrer ce propos dans un article portant sur le roman *Famien* et le recueil de poésie *L'écho des ombres* de Dallaire. À cet article sont empruntés des éléments de la longue citation précédente (2008 : 159).

[5]   Assez curieusement, cet événement fondateur est complètement passé sous silence aussi bien par Lucie Hotte (2010 : 221) que par Georges Bélanger (2010 : 837-838) dans les résumés qu'ils présentent du roman, respectivement dans l'*Introduction à la littérature franco-ontarienne* et dans le *Dictionnaire des écrits de l'Ontario français 1613-1993*.

libérer du passé. Le déplacement dans l'espace n'est pas donné pour lui-même, mais provoqué par autre chose de plus fondamental, l'agression sexuelle. S'il n'y avait pas eu ce traumatisme dans un passé lointain, le personnage n'aurait pas fui l'espace communautaire.

Cette structure est à ce point fondamentale dans l'imaginaire et la posture d'écriture de Dallaire qu'on la retrouvera quelques années plus tard, en 2000, dans le roman *L'enfant de tout à l'heure*. À quelques reprises entre sept et quinze ans, Angèle a été agressée sexuellement par son oncle. Pour éviter un scandale familial, son père a exigé qu'elle se taise. Mais devenue une jeune femme, Angèle a fait assassiner son oncle, puis elle s'est mise à peindre, activité qui lui permettra de compléter sa « libération ». On voit que cette histoire répète celle de *Terrains vagues*, sauf que, dans *L'enfant de tout à l'heure*, l'héroïne parvient à s'en sortir, c'est-à-dire à surmonter la culpabilité, la honte et la douleur causées par l'événement. Elle aussi a fui son lieu natal, en l'occurrence Sudbury : elle s'est réfugiée au Mexique. Mais après le meurtre de son oncle, elle est revenue vivre à Sudbury. Autrement dit, si elle a d'abord baissé les yeux, puisque son père lui imposait le silence, elle a surtout trouvé la force de les relever et de regarder la vérité dans les yeux. Dallaire aura écrit *L'enfant de tout à l'heure* pour racheter non seulement le passé de son personnage féminin, mais peut-être aussi l'échec qui clôt *Terrains vagues*…

En fait, *Terrains vagues* et *L'enfant de tout à l'heure* me paraissent être des « romans de la conscience individuelle » (Hotte, 2010 : 206), pour reprendre une autre catégorie de Lucie Hotte, et dont l'œuvre de Daniel Poliquin offre un exemple privilégié. D'ailleurs, pour mesurer l'échec de la narratrice de *Terrains vagues*, on pourrait établir une comparaison éclairante avec *L'écureuil noir*, roman de Poliquin paru en 1994, deux ans après celui de Dallaire. *L'écureuil noir*, par ailleurs emblématique de ce passage du communautaire à « l'esthétique » dans le développement de l'œuvre du romancier, est construit à partir d'un intertexte emprunté à Douglas Glover : « Le bonheur est dans l'oubli » (1994 : 153). L'incipit du roman est constitué de la « Préface posthume de l'auteur » : Calvin Winter a choisi de faire paraître sa propre notice nécrologique, ce qui signifie moins son désir de refaire sa vie que la réussite de cet objectif; c'est pourquoi d'ailleurs la « Préface posthume » ouvre le roman : le héros, qui a atteint son objectif, peut d'emblée parler en tant qu'autre, en tant que cet autre qu'il est devenu, et nous raconter ensuite son désir de mutation, donc les aléas de son parcours identitaire jusqu'à la réussite. Le désir de l'héroïne de *Terrains vagues* est exactement le même et exprimé dans les mêmes termes. Sacha lui dit : « Disparaître. Annoncer la mort de ceux que nous étions. Rejoindre ce que nous devenons » (p. 59). Ce désir, l'héroïne le transcrit dans son journal de la manière suivante : « L'oubli. Tout laisser derrière. Ne conserver que quelques traces de son passé » (p. 59). Ce qui est étonnant dans ces extraits, c'est le parfait recoupement avec la « théorie » de l'écureuil noir. On y retrouve non seulement la volonté d'oubli et de recommencement, mais aussi la forme de la métamorphose : l'« annonce » du décès (symbolique) nous renvoie à la démarche de Calvin, comme la conservation de quelques traces du passé nous fait penser à la légende animalière à laquelle emprunte Calvin. On sait que, selon la légende, les écureuils noirs seraient d'anciens rats mêlés à des écureuils gris, lesquels rats « n'auraient conservé de leur passé que la couleur et des traces d'accents étrangers »... (Poliquin, 1994 : 15). Mais l'héroïne de Dallaire ne parvient pas, comme Calvin, à cette deuxième vie, à cette renaissance identitaire promise par l'oubli. Le seul oubli auquel elle aura droit, ce sera celui des « terrains vagues ».

BIBLIOGRAPHIE

BÉLANGER, Georges (2010). « *Terrains vagues*. Roman. Par Michel Dallaire », dans Gaétan Gervais et Jean-Pierre Pichette (dir.), *Dictionnaire des écrits de l'Ontario français 1613-1993*, Ottawa, Les Presses de l'Université d'Ottawa, p. 837-838.

BEN JELLOUN, Tahar (1991). *Les yeux baissés*, Paris, Seuil.

DALLAIRE, Michel (1992). *Terrains vagues*, Montréal, VLB éditeur.

DALLAIRE, Michel (2000). *L'enfant de tout à l'heure*, Vanier, L'Interligne.

DICKSON, Robert (2003). « Portrait d'auteur : Jean Marc Dalpé », *Francophonies d'Amérique*, n° 15 (printemps), p. 95-107.

DICKSON, Robert (2005). « "Les cris et les crisses!" Relecture d'une certaine poésie identitaire franco-ontarienne », dans Lucie Hotte et Johanne Melançon (dir.), *Thèmes et variations : regards sur la littérature franco-ontarienne*, Sudbury, Éditions Prise de parole, p. 183-202.

GLOVER, Douglas (1994). *Le récit de voyage en Nouvelle-France de l'abbé peintre Hugues Pommier*, traduit de l'anglais par Daniel Poliquin, Québec, L'Instant même.

Fuite et écriture dans *Terrains vagues* de Michel Dallaire   109

HOTTE, Lucie (2002). « La littérature franco-ontarienne à la recherche d'une nouvelle voix : enjeux du particularisme et de l'universalisme », dans Lucie Hotte (dir.), *La littérature franco-ontarienne : voies nouvelles, nouvelles voix*, Ottawa, Le Nordir, p. 35-47.

HOTTE, Lucie, (2010). « Le roman franco-ontarien », dans Lucie Hotte et Johanne Melançon (dir.), *Introduction à la littérature franco-ontarienne*, Sudbury, Éditions Prise de parole, p. 199-237.

HOTTE, Lucie, et Johanne MELANÇON (2008). « La poétique des frontières dans *Famien (sa voix dans le brouillard)* et *L'écho des ombres* de Michel Dallaire », dans Samira Belyazid (dir.), *Littérature francophone contemporaine : essais sur le dialogue et les frontières*, Lewiston, The Edwin Mellen Press, p. 159-182.

OUELLET, François (1995-1996). « Daniel Poliquin : l'invention de soi », *Nuit blanche*, n° 62 (hiver), p. 54-59.

PERRIER, André (2007). « La période Dalpé au Théâtre du Nouvel-Ontario : la création d'un super-héros culturel », dans Stéphanie Nutting et François Paré (dir.), *Jean Marc Dalpé : ouvrier d'un dire*, Sudbury, Éditions Prise de parole, p. 307-321.

POLIQUIN, Daniel (1994). *L'écureuil noir*, Montréal, Éditions du Boréal.

PROUST, Marcel (1982). *Du côté de chez Swann*, Paris, Gallimard, coll. « Folio ».

SAVARD, Félix-Antoine (1969). *Menaud maître-draveur*, Montréal, Éditions Fides, coll. « Bibliothèque canadienne-française ».

De l'insularité à la globalité : subjectivité et discours humaniste chez Édouard Glissant

Ramon A. Fonkoué
Michigan Technological University

L A TRAJECTOIRE INTELLECTUELLE d'Édouard Glissant aura été en tout point le reflet de ses convictions politiques. Bien qu'il fût à l'origine insulaire, son engagement suivit une courbe qui dépassa les confins de sa Martinique natale, débouchant sur un projet humaniste neuf et original. Si, dans son effort d'articulation d'une personnalité antillaise décolonisée, Glissant donne à ses premiers écrits un accent fanonien, la maturation de son écriture dénote cependant une évolution qui voit celui-ci sortir, au fil du temps et des textes, de l'ombre de Frantz Fanon et d'Aimé Césaire pour établir sa propre voix / voie. En témoignent non seulement l'attention que reçoit son œuvre depuis un quart de siècle, mais aussi une terminologie qui a enrichi et renouvelé l'arsenal conceptuel de l'analyse littéraire, de la théorie postcoloniale et des études culturelles en général[1]. Glissant élabore un projet humaniste qui va bien au-delà de la réhabilitation du Noir antillais après le rabaissement dont il fut l'objet et examine de façon sévère mais prospective l'héritage occidental.

Comme le note l'un de ses lecteurs les plus avisés, « [o]n peut lire dans son œuvre l'expression d'un affrontement ou d'une confrontation avec l'Europe » (Fonkoua, 2002 : 14). Le choix de deux termes synonymes, mais dont le second introduit une nuance suggérant aussi l'appréciation, révèle chez le penseur antillais la difficulté à solder ses comptes avec le modèle occidental récusé. Cette difficulté tient à la nature insidieuse, et donc pernicieuse, de la domination coloniale, dont l'aliénation n'est pas toujours évidente chez le sujet. Valentin Mudimbé prévenait, en effet,

---

[1]   On pourrait citer les termes tels que « la créolisation », « le Tout-Monde », « l'antillanité », les « cultures ataviques » et les « cultures composites », « le divers », « l'opacité », « le chaos-monde », etc.

qu'il était urgent « de savoir, dans ce qui nous permet de penser contre l'Occident, ce qui est encore occidental ; et de mesurer en quoi notre recours contre lui est encore peut-être une ruse qu'il nous oppose au terme de laquelle il nous attend, immobile et ailleurs » (1982 : 13). Conscient que l'Occident avait établi autrefois un cadastre entier du monde du sujet colonial, Glissant estime que sortir ce dernier de l'« abîme » de l'histoire requiert une saisie exhaustive de la condition de l'Antillais. Il reprend à son compte la critique foucaldienne du discours scientifique occidental dont il réprouve l'organisation en disciplines, les procédés et la collusion avec l'emprise de l'Occident sur le monde.

Les considérations ci-dessus esquissent l'arrière-plan contre lequel s'articule la subjectivité chez Édouard Glissant. Il s'agit, à l'évidence, d'une quête rendue particulièrement ardue par le déni d'humanité de l'esclavage, puis hypothéquée par la politique coloniale française d'assimilation. La présente réflexion se propose de retracer chez Glissant la trajectoire qui va de la revendication du « lieu », de la minuscule île natale perdue dans la mer des Caraïbes, pour aboutir à la promotion de ce qu'il nommera le Tout-Monde, puis la globalité. D'entrée, je présente la « phase fanonienne » de Glissant, où la primauté du « lieu » génère une écriture résolument militante. J'examine ensuite la réponse de Glissant au discours scientifique occidental, perçu comme renforçant l'emprise de l'Occident sur le sujet colonial. En dernière analyse, il me semble que la subjectivité chez Glissant, par son désir d'échapper à l'individualisme caractéristique de la culture occidentale, ouvre par le fait même la voie à un nouvel humanisme.

Aux origines : l'île natale

C'est un truisme de dire que le projet glissantien s'ancre dans la revendication d'une différence fondamentale, différence de l'Autre que renchérit le « droit à l'opacité ». Il s'origine aussi dans un attachement viscéral au « lieu », terre natale avant de devenir matrice structurante de la pensée. Un examen – fût-il cursif – des premiers écrits de Glissant permet d'établir la centralité de la terre dans un projet anticolonial dont celle-ci, constituée en territoire[2], doit être la pierre de touche. Moins prégnante

---

[2]   En dépit de l'aversion de Glissant pour ce terme, il est difficile de concevoir la terre pour laquelle il lutte autrement qu'un territoire postulé. Ceci illustre aussi l'une des limites d'une pensée si généreuse, une fois rendue à la réalité de l'histoire.

dans les textes ultérieurs, au moment où sa pensée atteint à sa meilleure cohérence conceptuelle (*Poétique de la relation*, *Le discours antillais*), la revendication de la terre, ressentie douloureusement comme un seuil rêvé, pourrait alors être le curseur d'une pensée où la subjectivité se module sur l'éloignement de cet horizon originel.

Le jeune boursier qui débarque à Paris dans les années 1940 se veut le « nouveau Martiniquais » que *Légitime défense* appelait de ses vœux, en rupture avec le sujet aliéné de la colonisation française. Il partage aussi les vues de Fanon qui fait de la terre la matrice à partir de laquelle se construit la nation purgée de la présence coloniale. « Pour le peuple colonisé la valeur la plus essentielle, parce que la plus concrète, c'est d'abord la terre », disait Fanon (1991 : 75). Aussi voyons-nous Glissant se refuser à la séduction des charmes de Paris, point de mire des sujets de l'empire français. Le ton résolument militant de ce texte au titre évocateur suggère une affinité indéniable avec Fanon dont le jeune Glissant est l'émule, lui qui affirmait sans ambages : « Je vois aussi que dans mon pays et de ma terre, le *titre* est à d'autres » (Glissant, 1997a : 41). Chez le sujet colonisé, du fait d'un rapport dysphorique avec la terre natale, celle-ci ne saurait être matière à épanchement lyrique ou chauvin. Dans la théorie de Fanon, par exemple, la terre est mamelle nourricière et sa possession est de dignité. Glissant renchérit cette importance en faisant de la terre, de la manière dont celui qui la possède l'investit la marque distinctive de la personnalité du groupe. Sa résistance à l'attrait qu'exerce sur l'étranger la maîtrise rationnelle de l'espace en Occident est à ce sujet bien éloquente : « Cet infini de terres carrelées m'emprisonne », notera-t-il (1956 : 17). Reflet de « la pensée logique et utile » que réfutait *Légitime défense* (1979 : 9), cette topographie a plutôt pour effet de lui rappeler la spoliation coloniale, d'où cette proclamation : « Quand je posséderai vraiment ma terre, je l'organiserai selon mon ordre de clartés, selon mon temps appris. Cela veut dire que la quête du vent libre (l'apprentissage de la terre) est chaos et démesure, paysage forcené, forêt sans clairière aménagée [...] » (1956 :19). Ces propos font écho à Césaire qui rejette, dans son *Cahier d'un retour au pays natal*, la pensée cartésienne et sa logique mathématique. Ils vont cependant plus loin et fondent, comme chez Fanon, l'urgence de la lutte, que dramatise la métaphore de la femme : « Je fais de cette terre la face de toute femme violée en son lait tendre » (1956 : 23).

La Lézarde, premier roman de Glissant, se veut la traduction de ce projet politique où l'accession de la « chose colonisée » – pour reprendre les termes de Fanon – au statut de sujet est concomitante à la réappropriation de la terre. L'on voit, dans ce roman, une coïncidence entre l'émergence d'une subjectivité décolonisée et l'accès à la souveraineté sur l'île natale. Le narrateur pose au seuil de son récit cette question fondamentale : « Mais peut-on nommer la terre, avant que l'homme qui l'habite se soit levé ?... » (Glissant, 1958 : 20) Glissant présentait justement le rapport de l'Antillais à sa terre comme une « trouble condition [...], qui raille et rallie la poétique de l'être » (1997a : 41). L'on retrouve dans cette caractérisation le fondement de ce qu'il nommera plus tard « poétique forcée » (1997c : 401-404), résultante d'une relation non apaisée avec l'histoire et l'entour. La question posée ci-dessus fait de la naissance du sujet à soi et de sa prise de parole deux actes solidaires et coexistentiels qui trouvent leur fondement dans l'accession de la colonie au statut de terre libre. Chez Césaire et Glissant, elle trouve sa réponse au bout d'un parcours symboliquement identique. L'on se souvient que c'est au terme de l'exploration et de l'inventaire de sa terre que le héros césairien finissait « inattendument debout et libre ». Cette trajectoire est semblable à celle des jeunes combattants de la liberté dans *La Lézarde* :

> Regarde. J'ai vu tout le pays s'ouvrir devant moi [...] Et puis la Lézarde, depuis la source jusqu'à la mer. Et avec la Lézarde, j'ai connu la terre, les mornes rouges, la terre grasse, les sables. Bon. Avec les amis, nous avons découvert le pays. Nous ne savions rien, mais nous avons regardé à la fin. Et à la fin nous avons pu le nommer, en toute connaissance (Glissant, 1958 : 241).

Le tout premier roman de Glissant se saisit de la situation coloniale aux Antilles et dessine une nouvelle configuration où le sujet, mis en branle par ce que Fanon nommait « l'histoire en actes » (1991 : 77), articule une identité ancrée dans la souveraineté sur la terre. En même temps, cette conception de l'identité laisse entrevoir déjà la méfiance que Glissant développera plus tard vis-à-vis de la subjectivité dans la culture occidentale. Tournant le dos à la conception « d'une société d'individus où chacun s'enferme dans sa subjectivité » (Fanon, 1991 : 77), il prévenait que « [l]'individu se désunit à être radicalement sauf du commun » (Glissant, 1956 : 26). Un quart de siècle plus tard, Glissant met l'Antillais en garde contre la séduction de l'individualisme, qu'il perçoit comme suicidaire aux Antilles : « Pour l'Antillais, la question pertinente n'est pas "Qui suis-je ?", mais bien "Qui sommes-nous ?" » (1997c : 265-267). Cette conception d'une « subjectivité collective » fait barrage à la tentation de l'aventure solitaire et à « l'équation personnelle » que Glissant dénonce chez les élites antillaises. Du point de vue de l'histoire, elle prévient des écueils de ce que Mireille Rosello nomme « l'idéologie héroïque » où, du fait de l'attrait du modèle occidental, le sujet risque « de sacrifier les objectifs de la lutte elle-même au besoin de se voir reconnu comme héros » (1992 : 55). Aussi, à la question de savoir si seul Thaël est responsable de la mort de Garin, le légat du pouvoir colonial, la réponse fuse : « Non. Cette question était idiote. Ils avaient tous décidé […] "Nous, nous tous!" » D'ailleurs, il faisait bon prendre sa part d'une telle œuvre d'utilité : abattre un traître » (Glissant, 1958 : 202). « Le geste de Thaël ne peut se concevoir logiquement qu'au prix d'une certaine morale : celle de la préséance de l'avenir collectif sur le destin individuel ; de la nécessité du bien collectif sur le bien individuel », notera Fonkoua (2002 : 122). Cette conception de la subjectivité tient étroitement au contexte colonial de sujétion où la terre est le premier bien dont le sujet est dépossédé. De même qu'il n'y a pas de subjectivité possible sans la possession de la terre, il n'y a pas de destin individuel viable. Garin doit mourir parce qu'il incarne l'ordre qui spolie la terre au profit des forces exogènes. Sa mort rend possibles l'énonciation du sujet et l'avenir collectif. Glissant souligne la place vitale de la terre en ces termes : « L'expression s'arme de l'adéquation de l'homme à son pays […] Pourquoi cette élection de la terre? Parce qu'elle est, dans la naissance de l'homme, la première et s'il se trouve la seule force à laquelle il puisse demander force » (1997a : 138).

C'est de cette vision que naîtront notamment le Front antillo-guyanais qu'Édouard Glissant cofonda en 1959, l'Institut martiniquais d'études en 1967, ou encore la revue *Acoma* en 1971, dont le but ultime était la réappropriation de la terre natale. Il s'opère pourtant au début de la décennie 1980 un infléchissement significatif dans la pensée de Glissant, que traduit opportunément le recueil *Pays rêvé, pays réel*. La désillusion, déjà suggérée par ce titre, ne peut échapper au lecteur. Le poète y déclare en effet dès l'incipit de son recueil : « Nous humons ce pays qui tarit en nous, le pays / S'élonge tel un songe où pas une eau ne bruit » (Glissant, 2000 : 14). Mais il faut remonter quatre années plus tôt pour voir, dans *Le discours antillais*, le déclic qui signale l'éloignement de la terre rêvée. Glissant y sonnait ainsi l'alarme : « Nous n'en finissons pas de disparaître […] Exemple banal de liquidation par l'absurde, dans l'horreur d'une colonisation réussie » (1997c : 20). L'enlisement de la cause antillaise ainsi constaté inaugure, dans la pensée de Glissant, une nouvelle phase où la subjectivité s'articule désormais en réponse aux savoirs, qui, aux yeux de Glissant, achèvent l'assimilation coloniale, et au mode de constitution du sujet dans la civilisation occidentale.

Le sujet colonial à l'épreuve de la science

Bien avant les textes dans lesquels Glissant remettra en question les fondements de l'emprise de l'Occident sur le monde, les jeunes révolutionnaires de *La Lézarde* prescrivaient à leur compagnon chargé de consigner leur entrée dans l'histoire :

> Dis-leur que nous aimons le monde entier. Que nous aimons ce qu'ils ont de meilleur, de vrai. Que nous connaissons leurs grandes œuvres, que nous les apprenons. Mais qu'ils ont un bien mauvais visage par ici. Dis que nous disions : là-bas le Centre pour dire la France. Mais que nous voulons d'abord être en paix avec nous-mêmes. Que notre Centre il est en nous, et que c'est là que nous l'avons cherché (1958 : 229).

Derrière le recentrement qu'opère ainsi le colonisé, s'annonce la bataille sur les savoirs où la théorie postcoloniale mettra à contribution les thèses de Michel Foucault sur les savoirs scientifiques dans la civilisation occidentale. L'entrée du sujet colonial sur la scène de l'histoire force la question de la référence et contredit les visées totalisantes de la science occidentale, dont les prétentions à l'universalité reposent sur les présupposés objectifs. Glissant se penche patiemment sur le discours scientifique occidental comme mode de connaissance de l'Autre, s'intéressant notamment à l'inégalité des sujets face à l'investigation scientifique. Il met sur la sellette l'ethnographie qui, en tant que discours premier sur l'Autre dans la rencontre coloniale, retient tout naturellement son attention, notant que « [l]a méfiance que nous lui vouons ne provient pas du déplaisir d'être regardés, mais de l'obscur ressentiment de ne pas voir à notre tour » (1997a : 128). Il faut recourir à Edward Saïd pour mieux comprendre le risque que souligne Glissant :

> *The native point of view, despite the way it has often been portrayed, is not an ethnographic fact only, it is not a hermeneutical construct primarily or even principally; it is in large measure a continuing, protracted, and sustained adversarial resistance to the discipline and the praxis of anthropology (as representative of "outside" power) itself, anthropology not as textuality but as an often direct agent of political dominance*[3] (2000 : 310).

---

[3]   « Le point de vue de l'autochtone, en dépit de la manière dont il a souvent été décrit, n'est pas seulement un fait ethnographique, ce n'est pas une construction

Par conséquent, le sujet glissantien refuse de se prêter davantage à un discours scientifique dont les lois sont perçues comme exogènes et les fondements épistémologiques inadéquats pour rendre compte du vécu de l'Antillais. Dans ce contentieux avec la science, le discours historique revêt un enjeu particulier. Glissant accuse l'historiographie d'avoir privilégié la version officielle de l'histoire, contribuant ainsi à aliéner davantage l'Antillais en le privant notamment de ses héros, dont le Nègre marron. Le handicap que représente pour l'Antillais « la carence héroïque » est directement imputable au discours de l'histoire. Aussi va-t-il contester le principe hégélien d'une vision linéaire, chronologique, univoque et téléologique de l'Histoire, dont « l'inclusivité exclusive » fait l'impasse totale sur « les histoires » des peuples subjugués (1997b : 105-106). De fait, Glissant estime que l'isolement des catégories épistémologiques qui président à l'organisation des savoirs en Occident contribue à la collusion entre le discours scientifique et la domination du sujet colonisé. Des siècles d'historiographie aux Antilles le confortent dans ses suspicions envers le discours historique. Il met donc l'écriture au cœur d'une nouvelle méthode d'investigation, seule capable de libérer le sujet, de le restituer à lui-même et à son histoire :

> L'histoire en tant que conscience à l'œuvre et l'histoire en tant que vécu ne sont donc pas l'affaire des seuls historiens. La littérature pour nous ne se répartira pas en genres mais impliquera toutes les approches des sciences humaines. Les catégories héritées ne doivent pas en la matière bloquer la hardiesse méthodologique, là où elle répond aux nécessités de notre situation (1997c : 228).

L'Institut martiniquais d'études et la revue *Acoma* incarnaient, chez Glissant, le désir de construire un corps de savoirs endogène sur l'Antillais et les Antilles. Comme le note Fonkoua, « [a]ux modèles d'enseignement hérités de l'assimilation politique et de l'accession à la citoyenneté française devaient se substituer désormais des modèles de savoir institués par les Antillais eux-mêmes » (2002 : 148). L'enjeu de « l'ambition scientifique » ainsi mis à jour est évident dans la mesure où « Glissant se propose [...] de récuser tous les présupposés objectifs de la pensée qui constituent la science au profit des présupposés subjectifs, qui permettent

---

herméneutique à l'origine ou même essentiellement ; c'est dans une large mesure une résistance continue, longue et soutenue à la discipline et à la démarche de l'anthropologie (comme représentant un pouvoir "extérieur") elle-même, non pas l'anthropologie comme savoir discursif, mais comme agent souvent direct de domination politique. » (Nous traduisons.)

de former un savoir de la différence » (Fonkoua, 2002 : 163). Enfin, c'est encore Fonkoua qui en souligne l'importance pour ma réflexion sur la subjectivité lorsqu'il note qu'il s'agit pour Glissant de « [c]onstruire une science antillaise fondée sur la certitude de la conscience de son antillanité » (1999 : 305).

Penser autrement la subjectivité

Dans le *cogito* cartésien, la pensée est première, et l'acte de penser est suffisant en soi pour fonder l'identité de l'être qui pense. Descartes affirme en effet : « Je pense donc je suis. » Le *cogito* fonde dans la culture occidentale une conception de la subjectivité qui revendique d'emblée l'autonomie du sujet. La communauté sociétale se bâtit donc sur la base de l'individualisme. La montée en puissance de l'individu est justement l'aune à laquelle l'anthropologie mesure le passage des sociétés humaines du stade primitif à l'état moderne. D'après Gilles Deleuze, « [l]e sujet se définit par et comme un mouvement, mouvement de se développer soi-même. Ce qui se développe est sujet » (1953 : 90).

On ne peut nier l'opportunité qu'ouvre aux descendants d'escla-ves et aux colonisés dont l'humanité fut niée le *cogito*. Comme le note pertinemment Fonkoua, « la pensée cartésienne [cesse] d'être cette démarche occidentale imposée par les circonstances de l'histoire pour se révéler telle qu'elle est elle-même, fondatrice d'un penser pour soi » (2002 : 302). Dans *Totalité et infini,* Emmanuel Levinas pour sa part notait que

> [l]'existence subjective reçoit de la séparation ses linéaments. *Identification* intérieure d'un être dont l'identité épuise l'essence, identification du Même [...] La séparation est l'acte même de l'individuation, la possibilité, d'une façon générale, pour une entité qui se pose dans l'être, de s'y poser non pas en se définissant par ses références à un tout, par sa place dans un système, mais à partir de soi (1971 : 334).

Percevant le risque que représentait une définition solipsiste de l'être dans le contexte de la lutte anticoloniale, Fanon notait que, du fait de l'assimilation de la culture occidentale, « [l]'intellectuel colonisé avait appris de ses maîtres que l'individu doit s'affirmer », quitte à se murer dans sa subjectivité (1991 : 77). Glissant, qui sait qu'il n'y a de subjectivité que de l'individu, n'est que trop conscient des écueils du penser pour soi. Saisissant l'occasion de penser, il affirmera alors, dans un élan de solidarité :

> Maintenant je ne peux qu'esquisser cette vérité : je me groupe au je qui est le
> nous d'un peuple ; parce que je nais avec lui aux évidences de son histoire, de
> son pays, de sa relation consentie à l'autre. Et quand même je vivrais tronqué
> ou dénaturé, ce serait encore dans la suite d'une histoire de ce nous : je serais un
> avatar du nous, qui avec moi « ici » dit je [...] Le temps, la durée sont pour moi
> des vitalités impérieuses. Mais il faut que je vive et crie l'actuel *avec* les autres
> qui le vivent (1997b : 38).

Sus donc au sujet colonisé qui exalterait individuellement sa subjectivité.
Dans la critique que livre Glissant du théâtre césairien dans *Le discours
antillais*, et dont Raphaël Confiant s'inspirera dans son essai polémi-
que *Aimé Césaire : une traversée paradoxale du siècle*, Glissant attribue
justement l'échec de la rencontre entre le peuple antillais et les héros
césairiens à une conception du héros qui serait par trop tributaire de la
subjectivité de l'être occidental. Bien plus, les limites de cette conception
de l'être lui paraissent potentiellement destructrices. Il va donc plus loin
que Fanon qui ne percevait que son pouvoir aliénant et suggère un lien
étroit entre le narcissisme de l'individu dans la culture occidentale et la
pulsion impérialiste. Aussi, dira-t-il :

> Et si je tente d'ausculter cette merveille de civilisation que collige l'Occident,
> je m'émerveille que tant de grandeur ait reposé sur une si étroite imposition :
> qu'en la seule dignité de la personne humaine (qu'ici, on ne peut que rallier à
> la défense forcenée de la propriété privée) ait pris source ce destin. Qu'aucun
> héros anonyme (collectif) [...] n'y soit fêté. Que de Phèdre et d'Œdipe à
> Hamlet, l'individu [...] ait d'abord exalté sa liberté secrète [...]. Que sur ces
> deux injonctions [la propriété et la liberté intérieure] se soit jouée la conquête
> de l'être et du monde (Glissant, 1997b : 39-40).

Ces thèses, qui ne sont d'abord qu'à l'état d'ébauche, seront plus tard au
cœur de la « poétique de la relation », dont les titres tels que *Poétique de
la relation, Introduction à une poétique du divers, Traité du Tout-Monde*
ou encore *Philosophie de la relation* sont en fait le « ressassement », pour
reprendre les termes de Glissant. L'intersubjectivité comme principe
d'une réflexion sur l'être et dont la « poétique de la relation » est la
formulation trouve son fondement dans ce que j'appelle une critique
prospective de la subjectivité occidentale. Loin de la dénonciation rituelle
de l'injustice de l'impérialisme dans le discours anticolonial et se refu-
sant à la facilité de l'argument moral ou humaniste, Glissant décide de
sonder, dans l'être occidental, les ressorts mêmes de la pulsion qui porta
l'Occident hors de ses frontières, mû par le désir de subjuguer l'Autre.
À partir de la *Poétique de la relation*, le champ sémantico-notionnel de

cette subjectivité conquérante s'enrichit des termes tels que l'« identité racine », le « territoire », la « filiation », la « poétique de l'être » et les « cultures ataviques ». Il affirme ainsi que

> [l]es mouvements de la découverte et de la colonisation ont d'abord mis en contact des cultures ataviques, depuis longtemps établies chacune dans sa croyance sur son territoire [...] La filiation et la légitimité sont les deux mamelles nourricières de cette sorte de Droit divin de propriété, pour ce qui est en tout cas des cultures européennes (Glissant, 1997b : 35).

Ce que Glissant nomme alors « pensée de l'Un » ou encore « philosophies de l'Un » (1990 : 59-61) traduit, dans les cultures ataviques, la sublimation de l'essence et reflète une inclination naturelle à assimiler ou synthétiser l'Autre. Cette pulsion chez l'être occidental rapproche l'expérience du sujet colonial de celle de la victime de l'Holocauste dans la philosophie d'Emmanuel Levinas, expérience qui soulevait chez lui cette question : « Mon être au monde ou ma "place au soleil", mon chez-moi, n'ont-ils pas été usurpation des lieux qui sont à d'autres déjà par moi opprimés ou affamés, expulsés dans un tiers-monde : un repousser, un exclure ou un exiler, un dépouiller, un tuer ? » (1995 : 44) Chez les deux penseurs, la renonciation à ce que Levinas appelle « l'antique privilège de l'Un » est au fondement de l'intersubjectivité.

Dans la théorie postcoloniale, Édouard Glissant propose l'une des conceptualisations les plus rigoureuses de la relation intersubjective. À partir des travaux de Deleuze et Guattari sur l'identité, il suggère une voie pour sortir la subjectivité du piège de l'essence. Le modèle de « l'identité rhizome » et des « cultures composites » inaugurerait pour l'humanité la perspective d'une cohabitation où le droit à la différence ouvrirait au « Tout-Monde » : « La pensée du rhizome serait au principe de ce que j'appelle une poétique de la Relation, selon laquelle toute identité s'étend dans un rapport avec l'autre » (Glissant, 1990 : 23). On le voit, Glissant fait place nette de la « subjectivité individualiste » de l'Occident. En outre, en scandant, texte après texte, son « droit à l'opacité », il récuse le rationalisme de la pensée occidentale, notamment sa propension totalisatrice et universalisante. L'identité qu'il articule pose donc simultanément les jalons et les conditions de possibilité d'une relation intersubjective après le colonialisme. C'est cette originalité qui fait de la « poétique de la relation » un humanisme. En effet, le droit à l'opacité de Glissant a parenté avec la « radicale contradiction de l'altérité » de l'Autre que défend Levinas (1995 : 101). En nous invitant à renoncer aux

« droits de l'enracinement », les deux penseurs proposent un humanisme au potentiel révolutionnaire : « Il ne m'est plus nécessaire de "comprendre" l'autre, c'est-à-dire de le réduire au modèle de ma propre transparence, pour vivre avec cet autre ou construire avec lui » (1996 : 71), conclut Glissant. Si, comme le suggère Bernadette Cailler, le pays rêvé s'avère finalement une « allégorie nationale » naïve ou inefficace (2007 : 20), il nous restera la richesse d'une pensée originale et intransigeante, d'autant plus précieuse dans un monde où certains courants de pensée ne parient plus sur l'humain.

BIBLIOGRAPHIE

Cailler, Bernadette (2007). *Carthage ou la flamme du brasier : mémoire et échos chez Virgile, Senghor, Mellah, Ghachem, Augustin, Ammi, Broch et Glissant*, New York, Éditions Rodopi.

Césaire, Aimé (1956). *Cahier d'un retour au pays natal*, Paris, Présence africaine.

Confiant, Raphaël (1993). *Aimé Césaire : une traversée paradoxale du siècle*, Paris, Stock.

Deleuze, Gilles (1953). *Empirisme et subjectivité : essai sur la nature humaine selon Hume*, Paris, Presses universitaires de France.

Fanon, Frantz (1991). *Les damnés de la terre*, Paris, Gallimard.

Fonkoua, Romuald (1999). « Jean Wahl et Édouard Glissant : philosophie, raison et poésie », dans Jacques Chevrier (dir.), *Poétiques d'Édouard Glissant*, Paris, Presses de l'Université de Paris-Sorbonne, p. 299-315.

Fonkoua, Romuald (2002). *Essai sur une mesure du monde au XXᵉ siècle : Édouard Glissant*, Paris, Honoré Champion.

Glissant, Édouard (1956). *Soleil de la conscience*, Paris, Falaize.

Glissant, Édouard (1958). *La Lézarde*, Paris, Gallimard.

Glissant, Édouard (1990). *Poétique de la relation*, Paris, Gallimard.

Glissant, Édouard (1996). *Introduction à une poétique du divers*, Paris, Gallimard.

Glissant, Édouard (1997a). *L'intention poétique*, Paris, Seuil.

Glissant, Édouard (1997b). *Le discours antillais*, Paris, Gallimard.

Glissant, Édouard (1997c). *Traité du Tout-Monde*, Paris, Gallimard.

GLISSANT, Édouard (2000). *Pays rêvé, pays réel*, Paris, Gallimard.

LÉRO, Étienne, *et al.* (1979). *Légitime défense*, Paris, Éditions Jean-Michel Place.

LEVINAS, Emmanuel (1971). *Totalité et infini : essai sur l'extériorité*, Paris, Kluwer Academic.

LEVINAS, Emmanuel (1978). *Autrement qu'être ou Au-delà de l'essence*, Paris, Kluwer Academic.

LEVINAS, Emmanuel (1995). *Altérité et transcendance*, Paris, Fata Morgana.

MUDIMBÉ, Valentin Y. (1982). *L'odeur du père : essai sur des limites de la science et de la vie en Afrique noire*, Paris, Présence africaine.

ROSELLO, Mireille (1992). *Littérature et identité créole aux Antilles*, Paris, L'Harmattan.

SAÏD, Edward (2000). *Reflections on Exile and Other Essays*, Cambridge, Harvard University Press.

Recensions

Martin Normand, *Le développement en contexte : quatre temps d'un débat au sein des communautés francophones minoritaires (1969-2009)*, Sudbury, Éditions Prise de parole, 2012, 161 p., collection « Agora ».

Le premier ouvrage publié par Martin Normand reprend les travaux effectués dans le cadre de sa thèse de maîtrise. Il entend montrer l'évolution de la notion de « développement » pour les communautés francophones vivant en situation minoritaire depuis 1969. Ce concept est central dans le débat sur les langues officielles du Canada depuis maintenant plus de quarante ans et mérite d'être analysé afin de « vérifier s'il existe une continuité dans les représentations » (p. 8) du développement. L'auteur mobilise les discours des acteurs ayant participé à ce débat, soit la communauté francophone en situation minoritaire, principalement la Fédération des francophones hors Québec (FFHQ) / Fédération des communautés francophones et acadienne (FCFA), le Commissariat aux langues officielles, le gouvernement fédéral, les tribunaux et les comités parlementaires.

Adoptant une approche méthodologique double et utilisant à la fois l'institutionnalisme sociologique et la structure des opportunités politiques (p. 20-21), il met en lumière non seulement le discours de ces acteurs, mais aussi les relations de pouvoir qui se jouent entre eux. Il nous apprend que

> [s]i l'idée de développement renvoyait, à ses débuts, à une approche politisée des communautés minoritaires de langue officielle, [...] aujourd'hui on en parle davantage en lien avec l'idée de gouvernance et de vitalité. Au fil des transformations contextuelles, le débat sur le développement serait donc marqué par une progressive dépolitisation des représentations (p. 19).

Normand présente ses résultats sous la forme d'une périodisation en « quatre temps ». Le premier chapitre porte sur la période 1969-1987, marquée par la « politisation du débat sur le développement » (p. 29). Cette

Francophonies d'Amérique, n° 33 (printemps 2012), p. 123-149

époque se dessine sur le canevas historique de la Commission royale d'enquête sur le bilinguisme et le biculturalisme, de l'adoption de la *Loi sur les langues officielles* (*LLO*) du Canada et de celle du Nouveau-Brunswick en 1969, ainsi que des débats constitutionnels menant au rapatriement de la constitution canadienne et à l'adoption de la *Charte canadienne des droits et libertés* en 1982. Alors que la *LLO* et la *Charte* présentent une vision *a priori* individualiste du bilinguisme, l'auteur montre que la FFHQ / FCFA, pour sa part, a une propension à revendiquer une reconnaissance collective. L'auteur dénote la présence du développement, entendu comme « une habilitation des communautés francophones et un meilleur contrôle sur leurs institutions » (p. 42), dans les rapports publiés par cet organisme. À partir de 1982, une judiciarisation du débat sur les langues officielles aurait pris place grâce aux stipulations linguistiques de la *Charte*, faisant des tribunaux un acteur incontournable dans la compréhension du développement.

Les années 1988 à 1992 constituent la deuxième période de la séquence choisie et se caractérisent par les « agitations constitutionnelles » (p. 50) que sont les accords du Lac Meech et de Charlottetown et par la mise à jour de la *LLO* en 1988, incluant la Partie VII. Cette dernière aurait eu un effet notable sur la notion de développement dans le discours des acteurs retenus à cause des nouvelles obligations du gouvernement fédéral qui s'y retrouvent (p. 59). La notion de développement semble s'être institutionnalisée et s'être graduellement articulée autour de la dichotomie entre l'autonomie et la dépendance envers le gouvernement fédéral, « un paradoxe » en soi souligné par l'auteur (p. 69).

Le troisième chapitre couvre les années 1993 à 2004. Elles sont marquées par la continuité politique au niveau fédéral et le Référendum de 1995. C'est l'époque des premières Ententes Canada-communautés (p. 90). Les acteurs semblent préoccupés par la définition et la mise en œuvre de la Partie VII de la *LLO*. « Les représentations du développement durant cette période sont marquées par le contexte de rationalisation qui caractérise l'action gouvernementale » (p. 94). La FCFA aurait ici laissé tomber son autonomisme au profit de la participation revendiquée aux nouvelles instances de gouvernance créées par le fédéral. Par ailleurs, la bureaucratisation et la gestion des fonds – en décroissance – provenant du gouvernement marquent le nouveau fonctionnement des organismes communautaires. Normand souligne l'absence de critique de ces organismes face à ces nouveaux rapports au pouvoir.

Le dernier chapitre fait le point sur les années 2005 à 2009 et s'ouvre par les débats autour des initiatives « pour rendre exécutoire la Partie VII de la *Loi sur les langues officielles* » (p. 97), entreprise réussie après quatre tentatives en 2005. Le débat sur le développement prend ici la couleur de la notion de « mesures positives » (p. 102), une composante de la Partie VII reprise par le Commissariat aux langues officielles, et ensuite par la FCFA. La question de la « vitalité » des communautés fait aussi surface dans les discours de part et d'autre (p. 107). Les tribunaux, pour leur part, n'ont pas eu l'occasion de se prononcer sur les nouvelles modalités de la loi. Selon l'analyse de Normand et à la suite du Commissariat aux langues officielles, « le contexte est mûr pour des innovations » (p. 125) en matière linguistique.

L'auteur conclut que la notion de développement témoigne d'une propension à refléter le contexte politico-historique au sein duquel elle évolue. La « dépolitisation des représentations du développement » (p. 127) qu'il remarque notamment à la FCFA pourrait toutefois « être en voie de se renverser » (p. 130), étant donné la réinsertion récente des notions d'autodétermination et d'habilitation dans son discours.

L'ouvrage de Normand est de facture académique, et l'on sent son origine thésarde. Les quatre chapitres principaux font preuve d'un dosage équilibré des acteurs étudiés. Normand montre avec brio les rapports de pouvoir entre ces acteurs, tels qu'ils apparaissent à la fois dans leurs discours respectifs sur la notion de développement et au sein d'un contexte historique et politique pertinent. Le tout est exécuté de façon limpide et succincte. Toutefois, la conclusion de l'ouvrage, qui introduit des auteurs et des notions théoriques qui n'étaient pas présents dans l'introduction ou dans la présentation de la méthodologie, laisse perplexe. Il nous a semblé peu opportun d'entamer une discussion sur les enjeux de la citoyenneté reliés à la « redistribution des ressources » (p. 139) à quelques lignes de la fin, discussion qui aurait pu occuper un chapitre entier. Le discours des gouvernements provinciaux aurait aussi pu compléter la réflexion de l'auteur. *Le développement en contexte* est un ouvrage qui met en lumière les rapports politiques significatifs entre les francophones en situation minoritaire et les instances étatiques canadiennes.

Stéphanie Chouinard
Université d'Ottawa

Catherine Ferland, *Bacchus en Canada : boissons, buveurs et ivresses en Nouvelle-France*, Québec, Éditions du Septentrion, 2010, 432 p.

Dans « Enivrez-vous », célèbre « petit poème en prose », Charles Baudelaire exhortait l'humanité à fuir les misères de son existence en prônant l'ivresse permanente : « Il faut être toujours ivre. Tout est là : c'est l'unique question. Pour ne pas sentir l'horrible fardeau du Temps qui brise vos épaules et vous penche vers la terre, il faut vous enivrer sans trêve. » À son époque, notamment dans le roman réaliste et naturaliste français, l'alcool occupait une place importante, Émile Zola en faisant même un personnage de *L'assommoir*. De même, dans de nombreux contes québécois du XIXᵉ siècle, tels « La chasse-galerie », « Coq Pomerleau » ou « Les trois diables », le rhum (ou « jamaïque »), la bière et l'eau-de-vie coulent à flots, mettant à rude épreuve la moralité des protagonistes qui affectionnent la « dive bouteille ». Évidemment, la consommation d'alcool ne datant pas d'hier, il est normal qu'elle soit thématisée dans nombre de textes anciens, en France comme au Québec. Cela dit, si la mémoire coloniale a transmis un vague souvenir de la brasserie de Jean Talon, que savons-nous vraiment des pratiques liées à l'alcool en Nouvelle-France ? Proposer un premier état de la question, tel est le défi ambitieux que relève Catherine Ferland.

Boissons

Tout d'abord, Ferland s'intéresse aux aspects économiques structurant la production, l'importation et la circulation des boissons alcooliques en Nouvelle-France. D'emblée, elle rappelle les espoirs que caressaient les premiers explorateurs français quant aux rendements présumés des vignes sauvages découvertes dans la vallée du Saint-Laurent. En effet, si Cartier baptise la future île d'Orléans du nom évocateur d'« île de Bacchus » à cause de la présence de « force vignes » (p. 28), Champlain, Lescarbot, Pierre Boucher, Hennepin et même Pehr Kalm, vers la fin du Régime français, donnent tous leur avis sur la ressource. Pourtant, malgré l'optimisme initial et des décennies d'efforts soutenus, force est d'admettre que la production vinicole coloniale fut un échec. À ce sujet, Catherine Ferland remarque : « Hormis une brève annotation dans un jugement de 1707, on ne trouve aucune mention de vin canadien dans les écrits du XVIIIᵉ siècle » (p. 37). Heureusement, en parallèle, les colons s'étaient tournés vers d'autres boissons pour répondre à leurs besoins.

Très tôt, donc, on brasse de la bière en abondance, tout en produisant du cidre, de la bière d'épinette et de l'eau-de-vie. Comme la production locale ne parvient nullement à satisfaire les palais aristocratiques ni même les besoins élémentaires du clergé, on importe aussi du vin de France et d'Espagne. Pour ce qui est de l'eau-de-vie, fort appréciée, elle provenait bien sûr de la métropole, mais également des Antilles (alcool de canne). Ainsi, profitant de ce marché florissant, grands négociants, marchands locaux et cabaretiers collaborèrent afin que ces produits d'importation côtoient la production locale.

Buveurs canadiens

Comment et quand buvait-on dans la colonie? Qui préférait quoi? Quelles étaient les conséquences de l'ébriété du buveur en fonction de sa classe? Telles sont les questions auxquelles répond l'auteure dans la deuxième partie de son ouvrage. Le « peuple canadien » constitue le premier groupe soumis à l'étude. En Nouvelle-France, davantage que dans la métropole, l'alcool nourrit et guérit. Mieux : il réchauffe le corps et l'esprit roidis par le climat. Puisqu'il fait partie de la vie quotidienne, en ville comme à la campagne, il se trouve également au cœur des fêtes populaires et religieuses, événements propices à la socialisation. Quant aux élites coloniales, on le devine, elles reproduisent leurs habitudes métropolitaines de consommation, afin notamment de se distinguer du peuple. Le vin étant rare et cher, l'élite jette sur lui son dévolu : « L'usage du vin à titre de marqueur social se retrouve aussi en Amérique, où il acquiert une signification encore plus forte d'appartenance à l'élite » (p. 171). Fait intéressant, si les hommes et les femmes du peuple et de l'élite n'observent pas les mêmes codes relatifs au boire, ces deux groupes ne se conforment pas moins aux usages dictés par leur classe. Enfin, Ferland examine les pratiques des marins et des soldats, dont l'existence se déroule en bonne partie à l'écart de la société, avant de conclure en ces termes : « l'obligation quasi rituelle pour [c]es hommes de consommer des boissons alcooliques s'assortit de l'obligation de ne pas afficher trop ouvertement les manifestations de l'ébriété, au risque de perdre l'estime des pairs... » (p. 224). Certaines pratiques semblent rester imperméables au changement...

Buveurs amérindiens

Contrairement aux Tupinambas de la baie de Guanabara, entre autres populations du Brésil colonial, qui produisent et consomment le *caouin* (Fidelis Kockel ; Léry), les Amérindiens de la Nouvelle-France ne connaissaient pas l'alcool avant l'arrivée des Européens. Monnaie d'échange recherchée, mais officieuse, dans le commerce des fourrures, l'eau-de-vie et ses effets euphorisants joueront rapidement un rôle essentiel dans les rapports commerciaux franco-amérindiens, incitant l'État à louvoyer entre deux pôles (légiférer ou tolérer) et suscitant les plaintes réitérées du clergé. Or, si le père Lejeune constate dès 1632 dans sa *Brève Relation du Voyage de la Nouvelle-France* les effets néfastes de la consommation d'alcool des Amérindiens sur la colonie, Ferland analyse les conséquences tangibles de cette nouvelle pratique sur les plans physiologique, démographique et socioculturel. Ainsi, même si la plupart des Amérindiens de la Nouvelle-France ne buvaient pas de la même façon que la majorité des colons, adoptant « plutôt des stratégies visant l'enivrement, par exemple des festins où l'eau-de-vie est le seul "aliment" consommé pendant plusieurs jours consécutifs » (p. 311), ils intégrèrent l'alcool à leurs pratiques culturelles, avec tous les graves problèmes que cela représente.

En somme, en plus d'offrir un contenu riche et une analyse fine de sources variées (récits publiés, rapports officiels et autres archives coloniales) et rarement abordées sous cet angle, Catherine Ferland possède un style vif et maîtrisé, sensible à l'humour et aux images fortes. Aussi convient-il d'affirmer que tout amateur d'histoire, d'études culturelles ou simplement de bonne chère sortira de cette lecture comblé d'aise et, vraisemblablement, ivre de savoir !

Bibliographie

Fidelis Kockel, Marcelo (2010). « Embriaguez no novo mundo: o olhar europeu sobre a bebedeira na América Portuguesa (1548-1615) », *CAHistória – Revista discente de História do IM-UFRRJ*, vol. I, n° 2, n. p., [En ligne], [http://cahistoria.wordpress.com/].

Léry, Jean de ([1578] 1994). *Histoire d'un voyage faict en la terre du Brésil*, édité par Frank Lestrigant, Paris, Le livre de poche.

Sébastien Côté
Université Carleton

Anika Falkert, *Le français acadien des Îles-de-la-Madeleine : étude de la variation phonétique,* **Paris, L'Harmattan, 2010, 307 p. Comprend un CD-ROM.**

Peu bavards, les deux éléments du titre de l'ouvrage peinent à contenir, comme le feraient des serre-livres, cette étude magistrale réalisée par Anika Falkert. L'auteure présente ici un travail complexe réalisé à partir non pas d'une seule, mais bien de deux enquêtes de terrain dont elle tisse les résultats dans un faisceau d'arguments tirés de trois courants linguistiques majeurs, soit le fonctionnalisme et la sociolinguistique, tout en intégrant certains éléments de la linguistique cognitive (dont l'impact de la perception sur la production), et ceci, dans le but de montrer que l'explication de la variation linguistique ne peut être réduite à un seul facteur. La dynamique interne du français parlé aux Îles-de-la-Madeleine du point de vue de la phonétique illustre la modélisation de la variation avancée par l'auteure.

Au cœur de la démarche se situent les Îles-de-la-Madeleine, terrain privilégié par Falkert en raison de son insularité, certes, mais surtout parce qu'il est une « enclave à cheval entre les deux foyers francophones de l'est du Canada » (p. 11). En effet, rattachées politiquement à la province de Québec depuis l'Acte de Québec (1774), les Îles-de-la-Madeleine regroupent toutefois une population issue principalement de peuplements acadiens qui firent souche. Les résultats de la première enquête montrent que si l'attachement identitaire au vernaculaire acadien est fort, ce dernier est néanmoins soumis à la fois aux pressions exercées par une « norme québécoise virtuelle » ainsi qu'à une valorisation très forte de la norme endogène (chapitre 2). L'auteure a donc cherché à mesurer l'impact des représentations linguistiques des Madelinots sur leur production langagière, afin de cerner les mécanismes en jeu dans la « désacadianisation » de cette variété au profit du français parlé au Québec.

S'il existe de nombreuses publications portant sur l'histoire, la géologie et l'économie des Îles, peu d'études ont été réalisées sur le français qui y est parlé. Le lexique est habituellement la composante linguistique privilégiée, et les travaux sont souvent fondés sur des observations personnelles des auteurs, comme nous le rappelle Falkert dans le chapitre 3, lors d'une revue assez complète de la littérature sur le sujet. L'étude présentée ici comble ainsi une lacune importante sur le plan des connaissances de ce parler, l'auteure ayant constitué un corpus « de la parole en contexte » lors d'un séjour de 13 semaines aux Îles-de-la-Madeleine à la fin de l'année 2003. Issu de l'observation participante, le corpus comporte 12 heures d'entretiens semi-dirigés (sur 35 heures recueillies), entièrement transcrites et généreusement mises à la disposition du lecteur par l'ajout d'un CD-ROM à l'ouvrage.

La présentation des données, proposée au chapitre 6 et intitulée « Description de la variation consonantique et vocalique », offre, pour chaque phonème relevé, un schéma d'analyse récurrent basé sur trois axes : la distribution et la réalisation des phonèmes, ainsi que leur extension géographique. Ce dernier apport nous a semblé tout à fait original : plutôt que de comparer les réalisations phonétiques des habitants des Îles-de-la-Madeleine au français standard, Falkert préfère situer les traits linguistiques du parler madelinot dans le plus grand ensemble des parlers français d'Amérique. La justification de cette posture épistémologique nous a semblé particulièrement convaincante : les spécificités madeliniennes sont souvent retrouvées dans d'autres variétés de français, notamment les parlers régionaux de France, et même dans les registres familiers et populaires. Il devient ainsi beaucoup plus intéressant de comparer les traits phonétiques des locuteurs madelinots aux variétés acadienne et québécoise afin de mesurer le degré de rétention des traits de l'une sous l'influence de l'autre. Cette description est suivie d'une « Interprétation de la variation phonétique » au chapitre 7, qui nous permet de prendre la pleine mesure du travail réalisé par Falkert. Dans une approche *pluridimensionnelle* (expliquée au chapitre 4) qui rend compte à la fois de facteurs intralinguistiques (comme l'environnement phonétique, la catégorie grammaticale et les effets lexicaux), de facteurs extralinguistiques (dont l'âge, le sexe, l'origine géographique et l'occupation), et de facteurs cognitifs (comme les réseaux sémantiques et les représentations phonétiques), Falkert fait la lumière sur le fonctionnement de quatre cas : la variable *R*, les variantes de *AN* et *ON*, la variable *AI* (ou l'ouverture du /ɛ/ en [a] devant *R* final), et la variable *J*. Elle arrive à la conclusion que « chaque variable affiche sa propre dynamique et que les variantes sont en rapport avec des facteurs différents les uns des autres » (p. 247) ; il faut ainsi se garder d'envisager le français madelinot comme un ensemble homogène dont certaines composantes, touchées par la variation, seraient communes à l'ensemble des locuteurs.

Enfin, dans le dernier chapitre de l'ouvrage, Falkert propose « Une meilleure approche de la variation » en joignant à l'analyse proprement phonétique une étude de traits morphosyntaxiques du français madelinot. Cet ajout a pour but de situer cette variété de français sur un « continuum intralectal » (p. 252), afin que soient considérées non pas la présence ou l'absence d'un trait dans la caractérisation de ce parler, mais davantage sa fréquence et sa diffusion. Au terme de ce travail, Falkert arrive ainsi à la conclusion que ce parler, comme d'autres variétés, voit disparaître des traits traditionnels sous l'influence de la norme. Cet effacement graduel de traits « ne se fait pas au même rythme sur le plan morphosyntaxique que le plan phonétique » (p. 264), créant ainsi une évolution « à deux vitesses » (p. 273) qui atteste la tension identitaire évoquée au début du présent compte rendu et plusieurs fois durant l'étude. Elle confirme que dans l'archipel, « deux forces sont à l'œuvre : la désacadianisation sous l'influence de l'appareil institutionnel québécois et la pression de la norme endogène » (p. 272).

Si l'on peut déplorer la facture scolaire de l'ouvrage – la recherche exposée ici découle de la thèse de doctorat de l'auteure et suit une progression attendue, soit le survol historique et démographique des îles, l'état de la recherche, les perspectives théoriques, le cadre méthodologique, etc. –, il s'agira de son plus gros défaut. Ce travail descriptif qui met en lumière la dynamique interne du parler des Îles-de-la-Madeleine aurait pu se résumer à une simple énumération des faits linguistiques observés ; il aurait pu également établir une comparaison de ce parler avec le français hexagonal (comme le font majoritairement les ouvrages décrivant les variétés du français hors France). Or l'auteure a choisi une approche beaucoup plus complexe, qui tient compte des autres variétés acadiennes, et ce, dans une perspective historique qui précise « les liens qui se sont tissés entre les communautés acadiennes des provinces maritimes et les francophones des Îles-de-la-Madeleine » (p. 15). Le travail d'Anika Falkert apporte une contribution importante aux études acadiennes, à la linguistique variationniste et aux travaux en linguistique cognitive. La richesse du corpus recueilli et l'étude complémentaire qui l'accompagne sauront ainsi intéresser les sociolinguistes et les ethnologues.

Karine Gauvin
Université de Moncton

David Hackett Fischer, *Le rêve de Champlain*, traduit de l'anglais par Daniel Poliquin, Montréal, Éditions du Boréal, 2011, 998 p.

David Hackett Fischer a produit une biographie fort intéressante de celui qu'il considère comme étant « le fondateur » et « l'âme dirigeante » des premiers établissements permanents de la France en Amérique du Nord, Samuel de Champlain. Passionné par son sujet, l'auteur brosse un tableau fascinant et fait ressortir les multiples facettes du personnage : le soldat, le cartographe, l'auteur et le navigateur hors pair. Cet ouvrage tente de démontrer que Champlain était un homme de vision qui a sans cesse lutté pour la réalisation de son rêve : fonder une colonie française en Amérique. Pendant trente ans, il a donc exploré, cartographié et écrit sur ce territoire. Il a mené bien des luttes contre les ennemis de la Nouvelle-France à la cour, tout en jouant un rôle important dans le peuplement de la colonie. Il a tenté de maintenir la paix entre les nations indiennes. Il a su quand il fallait prendre les armes et imposer un nouvel équilibre politique. « Faisant fi des plus grands obstacles et de défaites amères, il exerça son talent pour le commandement dans des conditions extrêmement difficiles » (p. 17). D'ailleurs, affirme Fischer, les leaders d'aujourd'hui ont beaucoup de leçons à apprendre de lui à ce chapitre.

Champlain était un leader visionnaire qui s'est efforcé de concilier l'idéal de tolérance avec la réalité d'une Église officielle. En effet, soutient Fischer, Champlain rêvait d'humanité et de paix dans un monde de cruauté et de violence. Il imaginait donc un monde où des gens de cultures différentes pourraient vivre ensemble dans l'amitié et la bonne entente. Si Fischer admire son personnage, il admet cependant qu'il avait ses failles. À titre d'exemple, il était tolérant et respectueux à l'égard des Indiens, mais il était cependant indifférent au sort des valets. De plus, sa vie privée était difficile, surtout ses rapports avec les femmes, y compris son épouse.

L'ouvrage s'inspire de la nouvelle historiographie et de l'ethnographie historique. Ainsi, pour explorer tous les chapitres de la vie de Champlain, Fischer exploite des preuves archéologiques et documentaires, des récits, des chronologies et des informations complémentaires d'une grande variété, et son ouvrage s'appuie sur cette preuve matérielle. Son enquête, affirme-t-il, a « été conçue dans l'esprit d'une foi nouvelle dans les possibilités du savoir historique » (p. 21). Elle ne part pas d'une thèse, d'une théorie ou d'une idéologie, mais d'une série de questions ouvertes sur Champlain : « Qui était cet homme ? de quel monde venait-il ? qu'a-t-il fait au juste et pourquoi ? en quoi a-t-il changé les choses ? en quoi nous interpelle-t-il encore ? » (p. 21) Les réponses à ces questions composent un récit fascinant qui saura plaire à un large public.

La biographie comprend six parties regroupant 25 chapitres. La première, intitulée « Chef en devenir », traite de l'enfance de Champlain, du rôle important de son père, de son apprentissage de la mer, de la navigation, du métier de soldat et du commandement. L'auteur montre que toute la jeunesse de Champlain se déroula dans la diversité linguistique, culturelle, religieuse et écologique, ce qui lui permit d'« apprivoiser la diversité au sein de sa propre famille » (p. 50). Il devint donc plus tolérant envers les différences entre les gens et profondément curieux des nuances de la condition humaine. L'auteur accorde beaucoup d'importance aux liens et rapports que son personnage entretient avec Henri IV. Il tente de montrer que cette amitié fut un élément fondamental de la vie de Champlain. Le « dessein de Champlain » est né de la vision qu'avait Henri IV de la Nouvelle-France. Par contre, la démonstration du lien de paternité biologique entre Henri IV et Champlain est un peu douteuse.

Dans la deuxième partie, « L'explorateur de l'Acadie », l'auteur nous présente Champlain le géographe et le navigateur. Il analyse d'abord les voyages et les efforts de colonisation des explorateurs qui ont précédé Champlain, dont Jacques Cartier, et montre comment Champlain a tiré des leçons de ces échecs. L'auteur aborde également la perception de Champlain en ce qui a trait aux Indiens, ces « âmes perdues » mais égales en intelligence et en esprit. L'auteur traite ensuite de l'île Sainte-Croix, la « pire erreur » de Champlain, de ses expéditions au Maine et de l'établissement de Port-Royal, un modèle de réussite où coexistaient deux idéaux : le féodal et l'entrepreneurial.

Dans la partie suivante, « Le fondateur de Québec », l'auteur se penche sur la fondation de Québec et sur les rapports que Champlain établit avec les Indiens. Fischer montre d'ailleurs que Champlain est le premier Européen à prendre part à une « bataille rangée » entre les Indiens en Amérique du Nord. Cette partie analyse aussi les stratégies de Champlain en France après la mort d'Henri IV. Dans un contexte où l'Amérique intéresse peu la régente, il doit constamment faire des allers-retours entre la France et la Nouvelle-France afin de cultiver ses relations à la cour. Il conclut également un mariage stratégique et cherche l'appui de l'Église. Durant toute cette période, il poursuit ses explorations, écrit et produit plusieurs cartes.

La quatrième partie, « Bâtisseur de la Nouvelle-France », analyse les démarches de Champlain auprès de Louis XIII et tous ses efforts pour édifier un réseau de soutien pour la Nouvelle-France. Les défis sont nombreux dans la colonie : le maintien de la paix et de l'ordre, la vie religieuse, les conditions de vie difficiles, la faible démographie, etc. Malgré tous les efforts déployés par Champlain, la colonie demeure fragile face à ses « puissants voisins » qui attaquent et prennent le contrôle de la Nouvelle-France en 1629. Pour Champlain, la chute de Québec sera un des pires revers de sa carrière. Il entamera donc des démarches auprès du roi et en 1632, la Nouvelle-France sera remise à la France.

Dans la partie cinq, « Le père du Canada français », Fischer s'attarde à la vision de Champlain de la Nouvelle-France : un pays où les Européens et les Nord-Américains vivaient en paix côte à côte. L'auteur se penche également sur le rôle important de Champlain dans le peuplement du Canada, de l'Acadie et de Trois-Rivières. Fischer maintient d'ailleurs que Champlain a joué un rôle capital dans la fondation de trois cultures francophones distinctes en Amérique du Nord : les cultures québécoise, acadienne et métisse. Selon l'auteur, « [...] il est vraiment permis de dire qu'il est le père du Canada français » (p. 590). Le rôle prépondérant accordé à Champlain dans la fondation de l'Acadie soulève toutefois des questions. L'auteur souligne l'importance des rapports entre Champlain et Razilly et met l'accent sur l'approche partagée par les deux hommes en ce qui a trait au développement de cette colonie. Par contre, peut-on vraiment conclure que Champlain est le « fondateur » de l'Acadie ? Les derniers chapitres de cette partie jettent un éclairage sur les mois précédant le décès de Champlain et sur son legs durable.

Dans la dernière partie, intitulée « Mémoire de Champlain », Fischer fait un survol des images et des interprétations de Champlain produites de 1608 à 2008. Il présente non seulement les ouvrages écrits sur Champlain, mais également les monuments, les sculptures et autres traces matérielles du personnage en Amérique et en France. Cette partie illustre bien l'impressionnant travail de recherche et de documentation accompli par l'auteur. À la fin de l'ouvrage, on retrouve plusieurs appendices fort utiles qui témoignent du souci d'exactitude factuelle de l'auteur. Le lecteur appréciera également les nombreuses cartes et illustrations qui accompagnent le texte.

Nicole Lang
Université de Moncton
Campus d'Edmundston

Geneviève Auger, *Carnets du chemin du Roy*, aquarelles de Gilles Matte, Montréal, Les heures bleues, 2012, 142 p.

Le fleuve Saint-Laurent à l'estuaire accueillant aura ouvert aux colons venus de France l'accès à la fertile prairie laurentienne tout en leur permettant de se déplacer avec une relative facilité. Toutefois, les rigueurs du climat ne rendant la navigation praticable qu'à la belle saison, il fallut tôt songer, l'essor de la colonie l'imposait, à ouvrir sur la terre ferme des routes dignes de ce nom. C'est ainsi qu'allait être tracée entre Québec et Montréal la plus longue voie carrossable que le pays ait connue. Cette route qu'on élèvera par la suite au titre de *chemin du Roy*, fait l'objet d'un livre qui en relate les origines et en décrit le parcours. Il traite d'un chemin dont on peut dire qu'il est la mère de toutes les grandes routes de la *belle province*.

Carnets du chemin du Roy de Geneviève Auger et Gilles Matte est la plus récente parution des Éditions Les heures bleues, qui offrent une collection de 16 titres dans sa collection « Les carnets ». Chacun des titres de cette collection est abondamment illustré et offre à lire des textes concis pour partir à la découverte de lieux non seulement au Québec, mais également à l'étranger (Paris, Kilimandjaro).

Le choix du vocable « carnets » donné à cette collection et à chacun des titres qu'elle abrite ne relève pas de la contorsion sémantique, mais résulte plutôt, nous semble-t-il, de l'absence d'un maître mot pour désigner une publication dans laquelle la plume et le pinceau se couplent pour conjuguer dans une commune mesure efforts et talent dans le but d'instruire et de charmer. Se dégage de cette collection l'impression d'une intention ; celle de faire correspondre un ouvrage à l'idée que notre société se fait d'un éloge au patrimoine. Fidèles au genre d'une collection vouée au tourisme, les Éditions Les heures bleues proposent plus d'attiser la découverte que de la satisfaire.

Aussi, les *Carnets du chemin du Roy* ne se dérobent à la ligne éditoriale, et le livre se présente abondamment illustré et garni de textes dont le style, concision oblige, est vif et précis. Son objet, une route. Plus qu'un chemin sur la terre ferme, plus qu'un revêtement carrossable de surface, le chemin du Roy, voie séculaire et patrimoniale, sinueuse et panoramique, plonge ses racines profondément dans le passé colonial du peuplement de la vallée laurentienne. Le livre s'ouvre naturellement sur un survol historique qui relate d'abord un accouchement ; celui d'une voie dont on dit qu'elle fut en son temps la route la plus longue d'Amérique. L'auteure évoque le jour où, ne pouvant plus reculer, on résolut de s'affranchir des contraintes qu'opposaient deux formidables forces de la nature, le fleuve, mais surtout l'hiver. La mise à contribution de la population aidant, on en vint un jour à compléter ce chemin essentiellement fait de raccordements et d'aboutements.

L'auteure narre d'une manière simple, claire et synthétique les faits marquants. Elle nous fait comprendre qu'une route est à la volonté de ses usagers. Ils l'empruntent dès qu'elle est carrossable. Ils la désertent dès qu'apparaît le vapeur qui vogue plus rapidement sur l'eau que l'on roule sur terre. Au survol historique succède la randonnée littéraire, qui nous fait passer de village en village, de site en site. Se succèdent au fil les narrations, les descriptions de bâtiments séculaires et les anecdotes, qui émaillent le propos.

Des cartes charmantes et sommaires jouent, semble-t-il, le rôle d'entête de chapitres. Y sont inscrits les noms des villages traités dans les pages qu'elles précèdent : Les Écureuils, Donnacona, Cap-Santé, Portneuf (p. 44-45); Deschambault, Grondines, Sainte-Anne-de-la-Pérade (p. 64-65); Pointe-du-Lac, Yamachiche, Louiseville (p. 98-99); Maskinongé, Saint-Barthélémy, Saint-Viateur, Berthierville (p. 108-109); Lanoraie, Lavaltrie, Saint-Sulpice, Repentigny (p. 122-123).

Captivantes par moments, les descriptions portent sur l'histoire locale ou sur des particularités architecturales et des anecdotes dont certaines sont assimilables au potin ou au ragot. Quelques petits oublis se font remarquer par endroits. À la page 75, il est question de ruines sans qu'il y soit fait mention du lieu où elles se dressent. À la page 83, l'identification des illustrations n'est pas complète. Une faute d'orthographe dépare une magnifique illustration à la page 84.

Magnifique certes, et pour cause. Le format du livre autorise l'aquarelliste à réaliser des dessins panoramiques en double page (p. 76-77, 104-105). Les chapelets de maisons qu'il y esquisse se font paysages.

Paysages évoqués, paysages rêvés ou traits pilotés par l'émotion, l'artiste semble avoir souhaité, dans ce livre, s'affranchir d'une unité de style. Ses représentations des véhicules, des arbres, des boqueteaux et des cours d'eau sont tantôt impressionnistes (p. 21, 26, 29, 58, 82), tantôt oniriques (p. 43, 47, 63, 126), parfois encore les deux (p. 63, 68, 69). Ailleurs, le trait est d'une facture enfantine et humoristique (p. 8, 9, 12, 14, 112).

Pour mieux déjouer les limites contrariantes qu'impose la double page sur laquelle il transpose sa vision des lieux, l'artiste sait user adroitement de plongées et de contre-plongées (p. 38, 39, 53, 102, 137) pour mettre en scène et révéler le charme de bâtiments engoncés dans des feuillages où ils se dissimulent à demi.

Ici et là, de petites illustrations allègent les pages d'un texte qui, sans elles, aurait sans doute paru trop dense. Les temps révolus y sont souvent le plus simplement, mais aussi le plus directement représentés : ici, un mur de pierre affaissé; là, une ancienne cabane à sucre; puis, ailleurs encore, c'est un caveau. La corde de bois et l'étal de fruits en bordure de la route toujours pittoresques peuvent prétendre, mais pour combien de temps encore, à l'intemporalité.

En conclusion, un constat. Ce livre trouve sa pertinence d'abord et avant tout auprès des habitants du Québec eux-mêmes. Les autoroutes les ont depuis longtemps détournés de la fréquentation de chemins de mémoire pittoresques et bucoliques qui autorisent la redécouverte de lieux empreints de beauté, de cachet et de souvenirs. Or ce sont eux plus que tout autre qui donnent au pays sa densité et son épaisseur historique. Ce livre parviendra aussi à dévier des voies rapides nombre de touristes. Il appartiendra alors au chemin du Roy de les convaincre du bienfondé du proverbe gitan : « Ce n'est pas la destination qui compte, mais la route. » Ce livre rappelle, en filigrane, une vérité qui n'est libellée sur aucune de ses pages. Comme tout corps dépourvu d'artères ne peut soutenir la vie, nul pays n'existe ni ne croît s'il n'a de chemins qui le traversent, s'il n'a de routes qui le relient aux autres États, si les humains qui le composent n'ont de voies pour se rejoindre.

Carol Jean Léonard
Campus Saint-Jean
Université de l'Alberta

François Ouellet, *La fiction du héros : l'œuvre de Daniel Poliquin*, Québec, Éditions Nota bene, 2011, 221 p.

Dans *La fiction du héros*, François Ouellet nous offre une lecture magistrale de l'œuvre romanesque de Daniel Poliquin. Sa porte d'entrée dans l'œuvre est une phrase, attribuée à Oscar Wilde, citée en exergue de *La côte de sable* : « "Dans la littérature, il faut tuer son père" » (p. 9). Car, pour François Ouellet, la figure du Père « définit ce qu'est par essence la littérature fictionnelle, son écriture, ses dispositions narratives et ses enjeux discursifs » (p. 10). Aussi, il ne cherche pas tant à démontrer que l'œuvre fictionnelle de Daniel Poliquin est « exemplaire de la représentation littéraire du Père », mais plutôt qu'elle constitue « une manière esthétique parmi des milliers d'autres de montrer comment la question du Père *est* exemplaire » (p. 10). La métaphore paternelle – le *Père* renvoyant à « tous traits symboliques qui font office d'autorité dans l'imaginaire collectif » (p. 11) –, du moins la démonstration de sa centralité dans la littérature, est donc l'objet de cet essai, l'œuvre poliquienne en étant une manifestation privilégiée.

Le premier chapitre met en place de façon claire et rigoureuse le cadre théorique et la grille de lecture, alors que le texte est considéré comme un système qui ne renvoie qu'à lui-même – ce qui n'empêche pas l'essayiste de citer à quelques reprises des propos de l'auteur sur son œuvre pour appuyer son commentaire. Ainsi, « [...] lire un roman, c'est lire dans la perspective du héros une histoire qui *signifie* le Père » (p. 12). Dans ce contexte, la « visée de maturité » du discours de fiction consiste à « passer au rang de Père » – expression empruntée à Simon Harel (p. 12). Ce qui s'écrit donc dans le texte, c'est ce qui vient après la mort du Père (p. 14), d'où la nécessité de recommencer à zéro et de se libérer de la conscience coupable, voire de sauvegarder l'héritage et de poursuivre la lignée. Tous ces éléments se retrouvent dans le premier texte publié de Daniel Poliquin, la nouvelle « Pourquoi les écureuils d'Ottawa sont noirs », comme nous le rappelle l'essayiste, qui souligne comment cette légende animalière contient en germe le projet esthétique de l'écrivain et définit sa conception de l'identité comme un « *mouvement vers* » (p. 17).

Chacun des chapitres suivants s'attarde à l'un des romans de Daniel Poliquin, dans leur ordre de parution, de *Temps pascal* (1982) à *La kermesse* (2006), en faisant des allusions aux deux recueils de nouvelles et à l'essai *Le roman colonial* pour éclairer ou nuancer la lecture au besoin. Englobante, la lecture de François Ouellet s'effectue aussi dans un va-et-vient entre les œuvres au fil de sa progression.

Ainsi, dans *Temps pascal*, il faut régler la situation problématique avec le père, alors que le second roman, *L'Obomsawin* (1987), dit la présence de la mère, exprime la paternité impossible et introduit la notion de conscience coupable à travers le narrateur Louis Yelle. *La côte de sable,* qui porte en exergue la fameuse citation de Wilde, cherche à assumer le meurtre du père, condition essentielle pour pouvoir devenir père à son tour, tout en accentuant la présence de la mère. *L'écureuil noir* (1994), à travers Calvin Winter, illustre le « parricide littéraire exemplaire » et inscrit un « recentrage de la question du père » (p. 94) par la reprise de la légende de l'écureuil noir. Plus que *L'Obomsawin* encore, il souligne l'importance de se débarrasser de la conscience coupable. De plus, il règle momentanément la question de la mère, et offre « un premier bilan » (p. 115). Selon François Ouellet, c'est ce roman – et non *L'Obomsawin*, comme l'a affirmé Daniel Poliquin pour qui, du point de vue de l'idéologie, son second roman marquerait la fin de son « service littéraire » – qui marque la fin d'un cycle ; du moins, c'est l'analyse que François Ouellet fait en rapport avec la métaphore paternelle. Cette fin de cycle se concrétise dans la transfictionnalité (retour des personnages) et dans la dynamique de la fiction (p. 116). À ce point de sa lecture, François Ouellet remet aussi en question l'analyse de François Paré quant à la posture scripturaire des narrateurs (p. 121). En effet, pour François Ouellet, « [...] *L'écureuil noir* accomplit la consigne de Wilde, comprise comme discours fondateur de la littérature » (p. 128).

Si les deux derniers romans publiés de Daniel Poliquin témoignent des mêmes préoccupations éthiques, il y a une nette modification de l'esthétique, qui devient baroque, picaresque. Malgré cette nouvelle manière, *L'homme de paille* (1998) ne fait pas progresser la question du père. Enfin, *La kermesse* met en scène la mort de la mère et propose le relais de figures maternelles. Selon François Ouellet, si ce roman exprime la « nécessité de passer au rang de père » (p. 187), il met surtout en scène la réconciliation avec le père (p. 190) – ce qui est unique dans l'œuvre poliquinenne. Sauf qu'il exprime aussi l'incapacité de devenir père (p. 203) – sinon ce serait la fin de l'écriture ? – à cause de « l'imposante figure maternelle » (p. 212).

Enfin, la *Clausule*, qui tient lieu de conclusion, noue l'ensemble des fils pour illustrer « la dynamique de la métaphore paternelle telle que la donne à lire l'œuvre de Poliquin dans les liens qu'elle institue entre le fils et le père par l'entremise de la femme » (p. 203). En filigrane, il montre aussi toute la richesse des romans de Daniel Poliquin en mettant en lumière le discours biblique qui nourrit et travaille les romans.

Au terme de son parcours de lecture, l'essayiste affirme que « la littérature selon Poliquin parvient avec peine à négocier l'injonction "passer au rang de Père" dans son rapport au signifiant maternel. C'est celui-ci qui a le dernier mot » (p. 212). Mais cette tension du texte « est dans tous les cas éminemment créatrice » (p. 213).

Que l'on adhère ou non au postulat voulant que la figure du Père soit ce qui fonde la littérature, on ne peut que souligner la qualité, la finesse et la justesse de la lecture de François Ouellet. Sa *lecture*, organique et intelligente, montre combien nous sommes véritablement devant une œuvre en même temps qu'elle témoigne de la pertinence de l'approche. S'il faut en croire l'exergue de *La fiction du héros*, on doit avoir lu et relu l'œuvre de Daniel Poliquin pour bien saisir la justesse des nuances et de l'analyse de François Ouellet. Mais cet essai prouve aussi qu'une œuvre prend tout son sens à la lumière d'une lecture qui sait être à sa hauteur.

Johanne Melançon
Université Laurentienne

Lori Saint-Martin (dir.), *Gabrielle Roy en revue*, **avec la collaboration de Sophie Montreuil, Québec, Presses de l'Université du Québec ; Montréal, Voix et images, 2011, 208 p.**

Lire et relire Gabrielle Roy

Que faire, aujourd'hui, d'un nouveau recueil d'articles sur l'œuvre de Gabrielle Roy ? Qu'y a-t-il à ajouter plus de cent ans après la naissance de l'auteure, après les travaux de chercheurs individuels et de groupes de recherche d'un peu partout dans le monde, après plus de cinquante ans de recherche ciblée, et plus généralisée, sur les écrits publiés et inédits de l'écrivaine ?

Dans ce champ de recherche bien peuplé, le numéro de la collection « De vives voix » que Lori Saint-Martin a dirigé compte rassembler, autour de l'auteure consacrée de la littérature québécoise qu'est maintenant Gabrielle Roy, une sélection critique d'articles marquants parus dans la revue *Voix et images* et dans les « Voix et images du pays » (1967) des *Cahiers Sainte-Marie*. En ce sens, il s'agit moins d'avancer de nouvelles idées que de faciliter la circulation des discours critiques du passé afin, d'une part, de témoigner de leur évolution chronologique et, d'autre part (on le déduit), de stimuler de plus amples recherches sur l'œuvre de Gabrielle Roy.

Les articles choisis témoignent d'abord de nombreuses approches critiques applicables à cette œuvre : perspectives psychanalytiques, structuralistes, sociocritiques, féministes, thématiques, génétiques, sémiologiques et mythocritiques. Et malgré une organisation chronologique des contributions, on est parfois surpris, au fil des lectures, des liens qui se tissent entre ces approches critiques et l'œuvre de Roy qu'elles nous font découvrir.

Dans un article datant de 1974, Agnès Whitfield choisit de mettre en évidence la nature et la signification de la « souffrance structurée » (p. 15) qu'elle lit dans *Alexandre Chenevert*. L'espace intérieur circulaire et restrictif du personnage éponyme semble correspondre aux lieux que ce dernier fréquente, de sorte qu'il n'arrive jamais, même par des déplacements physiques, à se libérer véritablement. S'il tente de dépasser l'espace intérieur par des « évasions constructives » et « négatives » (p. 20-21), ses efforts ne donneront pas lieu à des résultats permanents. Chez Yannick Resch (1978), les déplacements à l'étude se font dans l'espace romanesque de *Bonheur d'occasion*, entre Saint-Henri (ville-village) et la rue Sainte-Catherine (lieu de la détente et des rêves). Le déplacement des personnages, en particulier dans les restaurants et les bars, permet de comprendre leur appropriation des espaces urbains et leur manière de s'y sentir « chez eux » (p. 42).

S'opposant à ces espaces urbains, Antoine Sirois (1989) fait l'examen de la valeur attribuée à la nature par Gabrielle Roy : non plus marquée par l'idéologie « agriculturiste » (p. 94) ou nationaliste, elle appartient plutôt à l'ordre intemporel du mythe. Si le temps royen semble primordial, mythique, pour Sirois, Richard M. Chadboourne (1989) choisira plutôt de mettre l'accent sur sa portée prophétique, surtout par rapport aux réformes de l'Église catholique. En effet, il semble que les trois premiers romans de Roy aient anticipé les rôles accordés aux prêtres (plus humains) et aux laïcs (plus actifs) ainsi que les réformes linguistiques découlant de l'ouverture de Vatican II. Gilles Marcotte (1989), lui, emprunte la notion de « grand réalisme » de Lukács pour qualifier le temps dans *Bonheur d'occasion* et faire porter au « personnage-type » (p. 127) de Florentine le poids d'une époque historique de transition au Québec.

Gabrielle Pascal (1979) offre l'une des premières critiques de la condition féminine dans l'œuvre de Gabrielle Roy. À l'emprisonnement des femmes-mères s'opposent plusieurs tentatives de sublimation : sociale (pour Florentine), raciale (pour Elsa), littéraire (pour Luzina) et professionnelle (pour Christine). De ces tentatives, seule la dernière réussira en substituant le rôle d'institutrice à celui de mère. Paula Ruth Gilbert (alors Paula Gilbert Lewis, 1985) met en pratique les théories féministes (et psychologiques) américaines sur le rapport mère-fille dans sa lecture de quelques nouvelles de *La route d'Altamont*. Elle suit le regard-reflet de femmes d'une génération à l'autre et suggère qu'il est possible, malgré la culpabilité de la séparation de la mère, d'établir des rapports de solidarité et d'interdépendance féminins intergénérationnels.

Les deux études de Nicole Bourbonnais, complémentaires, traitent de la surenchère du corps féminin dans *Bonheur d'occasion*, puis de sa disparition graduelle dans les écrits subséquents. L'hypothèse de Bourbonnais (1988) quant au premier phénomène repose sur l'adéquation entre l'obsession de Florentine concernant la maigreur et son refus de procréer. L'embonpoint de la femme, idéalisé dans les romans du terroir, est donc mis à mal dans le roman où les corps de mères deviennent cadavériques. Bourbonnais (1990) fait aussi valoir que, subséquemment dans les écrits de Gabrielle Roy, la procréatrice est remplacée par la créatrice ; le corps, par la voix de la narratrice écrivaine.

La stylistique royenne a aussi su inspirer d'autres écrivains québécois, comme en témoigne l'essai de Jacques Brault (1989) sur les rapprochements entre sa propre écriture intimiste et celle de Roy. De même, Stéphanie Nutting (1993) parle de *Bonheur d'occasion* comme d'un génotexte du réalisme magique ultérieur en littérature québécoise. Son analyse bakhtinienne de l'intertextualité ainsi que du dialogisme de ce roman et de *Maryse*, de Francine Noël, révèle que le passage de Florentine par Maryse lui permettra de « se réécrire en tant que sujet à part entière » (p. 61).

Finalement, les contributions de Christine Robinson et de Sophie Montreuil en génétique, ainsi que de Claude Romney sur les textes publiés pour enfants s'avèrent des pistes de recherche plus récentes sur l'œuvre. Alors que Christine Robinson (1997) lit *La saga d'Éveline* comme un « livre de la mère » abandonné telle une épave au profit du « livre de la fille » que serait *La route d'Altamont* (p. 172), Sophie Montreuil (1998) retrace l'évolution des avant-textes de la nouvelle « Un jardin au bout du monde » pour faire valoir l'« esthétique de l'épuration » (p. 190) choisie au fil des textes pour centrer le récit autour du thème de la création. Selon Claude Romney (2000), les textes publiés pour un lectorat réel d'enfants, rédigés sans révision subséquente pour un lectorat implicite adulte, comportent des idéologies parfois incongrues avec celles que l'on retrouve habituellement dans le genre, mais concordantes avec le reste de l'œuvre de l'auteure.

L'inclusion d'une bibliographie sélective des principaux travaux sur Roy ajoute certainement à la valeur du collectif, dont l'une des vertus principales est de servir d'introduction à la critique royenne et à son évolution au fil des décennies.

Nicole Nolette
Université McGill

Betty Bednarski et Ray Ellenwood (dir.), *Jacques Ferron hors Québec / Jacques Ferron Outside Quebec,* **Toronto, Éditions du GREF, 2010, 314 p.**

Cet ouvrage bilingue comprend majoritairement des contributions faites dans le cadre d'activités (au Collège universitaire Glendon et à l'Université Dalhousie) menées entre avril 2005 et avril 2006, soit au cours de l'année hommage organisée par Luc Gauvreau et Yolande Gingras pour souligner le vingtième anniversaire de la mort de Jacques Ferron. Il s'agit d'explorer le « hors Québec » de Ferron à la fois en regard de la biographie (voyages, correspondances, etc.), des prises de positions politiques de l'écrivain, de la réception de l'œuvre et de la présence des espaces canadien et européen dans celle-ci. Si ces perspectives diversifiées sont appropriées au profil de cet écrivain phare de l'altérité et des représentations de l'autre, elles font néanmoins de ce *Jacques Ferron hors Québec* un très curieux ouvrage, passablement disparate, inégal à la fois en ce qui a trait à la qualité et au genre des contributions. De la réflexion libre à l'essai savant, en passant par la correspondance entre Ferron et John Grube (Luc Gauvreau introduit et publie huit lettres de Grube et quatre nouvelles lettres de Ferron qui font suite à *Une amitié particulière*), l'ouvrage, par ailleurs rehaussé d'illustrations en couleurs, présente deux versants « étrangers » de l'écrivain, le canadien et l'européen.

On sait que Ferron a peu voyagé. Au Canada, outre quelques déplacements en Colombie-Britannique et en Ontario, il se rendit à Moncton à trois reprises : en 1966, alors qu'il est chroniqueur à *L'information médicale et paramédicale*, en 1972 et en 1974, à l'invitation du ferronien Pierre L'Hérault, alors professeur à l'Université de Moncton. C'est donc essentiellement le rapport à l'Acadie qui a mobilisé l'intérêt de Ferron, même si les chroniques recueillies dans *Le contentieux de l'Acadie* nous montrent qu'il était peu réceptif à la situation des minorités francophones du Canada. « Qu'elles s'anglicisent, c'est le mieux qu'elles ont à faire », écrivait-il en 1960. Ce qui ne l'empêchait pas d'apprécier l'œuvre d'Antonine Maillet et, chose étonnante, de consacrer Moncton ville littéraire dans *Les roses sauvages*. L'historien Yves Frenette traite ici de ces questions, recoupant en partie, mais avantageusement, les articles de Jean Morency et du poète acadien Herménégilde Chiasson. Dans un autre ordre d'idées, Annette Hayward livre de bonnes observations sur *Le Don Juan chrétien*, après avoir relaté l'histoire de la présentation de la pièce sous la forme d'un spectacle de marionnettes à l'Université Queen's et au pénitencier de Millhaven en 1975. Ray Ellenwood, traducteur de Ferron, aborde la relation de l'écrivain à l'Ouest canadien, notamment dans le cadre de la traduction de *Ciel de Québec*. Alexis Lachaîne, dans une perspective radicalement différente (son texte est issu de sa thèse de doctorat à York), interroge la posture de Ferron par rapport au colonialisme dans le contexte des années 1960.

Pierre L'Hérault, dont on connaît l'importance des travaux sur Ferron, se penche sur la place de l'Europe dans l'œuvre ferronienne, principalement ici la France et l'Angleterre. L'Europe n'offre pas de « discours constitué » chez Ferron, elle est plutôt présente de manière « oblique » ; en substance s'y substituerait la valorisation de la référence amérindienne et de la forme du métissage. La position de l'écrivain est d'ailleurs singulière au sein des intellectuels de sa génération, car si Ferron ne partage pas leur admiration béate de la France, il n'a pas non plus l'aversion pour l'Angleterre qui habituellement fait les frais de la passion française. D'une certaine manière, la part anglaise est la plus consistante chez Ferron, car elle lui permet souvent de problématiser la fiction (comme dans *Le ciel de Québec* ou *Le salut de l'Irlande*) ; néanmoins, les lectures de Ferron et une certaine pratique intertextuelle nous montrent que la France littéraire et linguistique n'est pas en reste. On sait que si Ferron ne prenait pas au tragique l'histoire coloniale du Québec, la défense de la langue française lui tenait à cœur plus que tout.

En octobre 1973, Ferron se rendit à Varsovie pour le congrès de l'Union mondiale des écrivains médecins. C'est le seul voyage qu'il fit jamais à l'extérieur du Canada. Betty Bednarski, dont on connaît l'important ouvrage sur Ferron (*Autour de Ferron*, qui vient d'être réédité aux PUL), étudie à ce propos la fonction identitaire de la Pologne ferronienne en s'aidant notamment de la correspondance de l'écrivain (essentiellement inédite), avant de s'intéresser aux lectures polonaises de celui-ci. Pays « si longtemps incertain » (lettre à J. Grube), la Pologne aura été pour Ferron une nouvelle Irlande, lui offrant la possibilité de faire l'épreuve d'une autre identité fragile. Quant aux lectures polonaises, Bednarski croit trouver chez Ferron une évolution qui va de l'enthousiasme (T. Konwicki et son traducteur G. Lisowski) à une « Pologne désapprise » (C. Milosz).

Susan Murphy livre probablement le meilleur texte de l'ouvrage. En s'intéressant à la dédicace du *Salut de l'Irlande* (« À Monsieur Peter Dwyer »), elle parvient à éclairer un roman passablement complexe, notamment en puisant dans des lettres inédites de Ferron à Jean Marcel. D'abord, Murphy situe *Le salut de l'Irlande* dans le contexte de sa rédaction. On sait que le roman, initialement paru en feuilleton dans *L'information médicale et paramédicale* en 1966-1967, avait été abandonné par Ferron ; mais l'écrivain le réécrit et l'achève à la suite de la mort de Pierre Laporte, dotant le roman d'une fin nouvelle qui prend position sur la crise d'Octobre. Murphy s'attarde ensuite aux liens réels et fictifs de Ferron avec Dwyer afin de montrer comment la dédicace, agissant par dérision, « fait partie intégrante du projet littéraire du roman » (p. 154) ; ici le dédicataire, en raison de sa biographie (espion britannique et employé au Conseil des arts du Canada) et de son identité d'Irlandais québécois (mais sur ce point, Ferron se trompe), figurerait comme l'envers politique des immigrés irlandais du roman qui, à la fin, participent à la lutte nationale du Québec.

Si l'œuvre de Ferron s'est nourrie d'une altérité constructive, c'est en revanche un euphémisme de dire que son œuvre est peu connue à l'extérieur du Québec, au Canada comme en France. Il y a là une forme de paradoxe, du moins une situation pour le moins troublante, alors que cet écrivain qui se disait « mineur » est probablement (autre paradoxe !) le plus grand de nos écrivains.

François Ouellet
Université du Québec à Chicoutimi

Georges Duquette, *Vivre et enseigner en milieu minoritaire : théories et interventions en Ontario français*, Paris, L'Harmattan, 2011, 272 p.

Fort de trente-six années d'expérience en enseignement en milieu minoritaire, Georges Duquette nous offre la troisième édition de *Vivre et enseigner en milieu minoritaire : théories et interventions en Ontario français*. En introduction, l'auteur affirme avoir écrit son ouvrage afin d'aider « les enseignantes et les enseignants de l'Ontario ainsi que les chefs communautaires à mieux comprendre et respecter leur clientèle et à mieux intervenir auprès d'elle » et de permettre aux « jeunes francophones de langue minoritaire de l'Ontario à mieux se connaître et s'apprécier en relation avec leur contexte de vie » (p. 17).

Dans la première section du livre intitulée « Théorie », l'auteur résume brièvement les théories du développement individuel et langagier ainsi que les principes de base du bilinguisme et des langues secondes. Viennent ensuite quelques chapitres qui traitent du milieu minoritaire, du bilinguisme et de la dimension sociale de l'individu. Les chapitres sept et huit reproduisent deux études de Duquette publiées dans les revues *Francophonies d'Amérique* (2005) et la *Revue des sciences de l'éducation* (2006). La première, qui porte sur les diverses facettes identitaires des adolescentes et des adolescents qui fréquentent des écoles secondaires de langue française en Ontario, en arrive à la conclusion que ceux-ci accordent plus d'importance au bilinguisme qu'à leur langue maternelle. Le chercheur conclut que « l'ensemble des répondants se reconnaissent une identité bilingue ou multilingue et affichent ainsi leur ouverture à l'hétérogénéité, une réalité qui est encouragée au Canada et qui fait partie de la réalité ontarienne et canadienne » (p. 83). La deuxième étude s'intéresse aux perceptions, aux valeurs et au comportement langagier de la même population. On y apprend que les jeunes qui fréquentent les écoles françaises ontariennes s'intéressent peu à leur histoire et aux organismes franco-ontariens, qu'ils préfèrent consulter les ressources et les médias de langue anglaise, mais « qu'ils privilégient les réseaux de contact [*sic*] dans leur langue maternelle, surtout au niveau de la famille » (p. 112). Les chapitres qui terminent cette première section abordent les questions de l'hégémonie et de l'aliénation. L'auteur y affirme que la minorité francophone de l'Ontario subirait une double domination : celle de la majorité anglophone et celle d'une élite franco-ontarienne qui, « dans ses combats contre la domination anglophone, exerce elle-même une contre-domination et [qui] contribue ainsi au processus d'aliénation et d'assimilation » (p. 118-119). L'universitaire prétend que cette « idéologie franco-ontarienne », créée de toutes pièces par l'« élite franco-ontarienne », ne représente aucunement la réalité de l'Ontario français. C'est pourquoi « de nombreuses familles francophones minoritaires trouvent qu'elles ont plus en commun avec la communauté anglophone, avec qui elles partagent le même environnement et les mêmes valeurs, qu'elles en ont avec l'élite franco-ontarienne qui leur impose une culture étrangère » (p. 131). Il conclut en affirmant que

> [l]a survie de l'Ontario français ne peut pas être laissée uniquement à ceux qui pratiquent l'hégémonie et encouragent indûment l'expansion de l'idéologie franco-ontarienne et l'immigration des franco-dominants. Cette pratique risque de contribuer à l'assimilation et de retarder l'enracinement de la francophonie de l'Ontario. Même si le nombre absolu de personnes se disant francophones peut ainsi se maintenir, le nombre relatif, en regard de la population majoritaire anglophone, ne cesse de décroître [*sic*] car les francophones minoritaires bilingues sont portés à chercher chez les anglophones les postes et les opportunités qui leur sont refusés par leurs représentants. Ils n'acceptent pas d'être traités en citoyens de troisième classe (p. 132).

Dans les deux derniers chapitres de la première section qui portent sur la recherche d'identité pour « l'Ontario canadien-français » et sur le statut social et l'assimilation, Duquette attaque encore une fois les stratégies de l'élite franco-ontarienne. Il y affirme que les Franco-Ontariens les plus militants sont « souvent les nouveaux arrivés » et qu'ils « cré[ent] des conflits ou érige[nt] des murs entre les francophones et les anglophones » (p. 137). Afin de combattre l'assimilation et « pour que les visions des Franco-Ontariens et des Ontariens de souche canadienne française [*sic*] puissent s'harmoniser » (p. 153), le chercheur propose quelques éléments de solution :

- une meilleure compréhension et le respect du milieu social des francophones minoritaires (ceux qui ne font pas partie de l'élite) ;

- la promotion de l'identité réelle de cette francophonie ;

- l'application d'un code déontologique qui va « contrecarrer les préjugés, la discrimination systématique [...] et les propos abusifs » (p. 153) envers celle-ci ;

- une meilleure représentation des francophones de souche dans leurs institutions scolaires ;

- un accès aux études supérieures et aux emplois en français (incluant des postes de cadre dans les institutions francophones) ;

- et une volonté de permettre aux élèves francophones de s'impliquer dans le milieu scolaire.

Ces éléments, croit Duquette, vont permettre à la francophonie ontarienne d'enrailler l'ethnocentrisme de son élite et faire en sorte qu'elle ne sera plus autodestructrice.

La deuxième section de *Vivre et enseigner en milieu minoritaire* fait le bilan des réussites en milieu communautaire et propose des interventions pédagogiques et sociales. Ces interventions suggérées sont présentées sous forme de questions à choix multiples. L'auteur y dénonce aussi la rareté de matériel pédagogique authentiquement franco-ontarien dans les salles de classe et propose un code d'éthique professionnel, car, d'écrire Duquette, « trop longtemps, [l]es élèves ont été ciblés, critiqués, abaissés et traités d'incompétents par des gens [il parle ici des professeurs] qui projetaient sur eux leurs propres incompétences professionnelles » (p. 173).

L'auteur termine son ouvrage en dénonçant, dans la dernière section, le pouvoir de l'élite franco-ontarienne qu'il accuse de ne pas être redevable envers la population qu'elle dessert. Pour lui, la population de souche franco-ontarienne n'a d'avenir que si « les responsables de l'Ontario français respectent les personnes, les valeurs et les aspirations profondes de la communauté représentée [...] Pour survivre, l'Ontario français doit être permis [*sic*] de retrouver son Dieu et le sens de la fraternité chrétienne, se raccrocher à ses racines ancestrales et à ses valeurs familiales traditionnelles pour renforcer les foyers et assurer continuité [*sic*] sur le plan social » (p. 237).

Pour conclure, on se doit de mentionner la qualité inégale de cette troisième édition. L'ouvrage aurait profité d'un travail éditorial beaucoup plus rigoureux ; les nombreuses coquilles, fautes et erreurs de mise en pages en font foi. Au fil de sa lecture, le lecteur se rend rapidement compte que l'auteur s'est contenté de construire son livre à partir d'articles et de rapports de recherche sans trop se préoccuper du contenu répétitif de ceux-ci. Par exemple, on retrouve la même longue citation de Donald Dennie aux pages 88-89 et 119. Pour ce qui est de la deuxième section, elle détonne du reste de l'ouvrage. On a l'impression que l'auteur y a publié des notes personnelles et des jeux-questionnaires destinés à ses étudiantes et étudiants. Somme toute, le livre du professeur Duquette déçoit, tant par sa présentation que par ses conclusions, qui ne tiennent pas compte de l'Ontario français du XXIe siècle, une société inclusive et ouverte à la francophonie mondiale.

Jacques Poirier
Université de Hearst

Publications et thèses soutenues
(2011-2012)

Alison Garcia
Université de Waterloo

CETTE BIBLIOGRAPHIE, partielle, comprend des livres publiés et des thèses soutenues entre mai 2011 et avril 2012. Nous nous sommes concentrée sur les études et essais touchant les aires culturelles suivantes : le Canada français, le Québec, l'Acadie, les États-Unis, les Antilles et Haïti, en maintenant une approche pluridisciplinaire. Enfin, les œuvres littéraires, trop nombreuses, n'ont pas fait l'objet de ce recensement. Nous tenons à remercier François Paré de ses conseils pendant la réalisation de ce projet.

Les titres précédés d'un astérisque font l'objet d'une recension dans ce numéro.

LIVRES

AUDET, Lucie. *Profil, perspectives et bilan de l'apprentissage à distance au Canada francophone*, Montréal, Le Réseau d'enseignement francophone à distance du Canada (REFAD), 2012, 92 p. Disponible en ligne : [http://archives.refad.ca/pdf/LAudet_Memoire_PPB_v20120227.pdf].

BARKER, Nancy Nichols. *The French Experience in Mexico, 1821-1861: A History of Constant Misunderstanding*, Chapel Hill, University of North Carolina Press, 2011, 279 p.

BEAUCAGE, Réjean. *La Société de musique contemporaine du Québec*, Québec, Éditions du Septentrion, 2011, 464 p.

BEHIELS, Michael D., et Matthew HAYDAY. *Contemporary Quebec: Selected Readings and Commentaries*, Montréal, McGill-Queen's University Press, 2011, 824 p.

BELKHODJA, Chedly. *D'ici et d'ailleurs : regards croisés sur l'immigration*, Moncton, Éditions Perce-Neige, 2011, 164 p.

BOUCHARD, Louise, et Martin DESMEULES. *Minorités de langue officielle du Canada : égales devant la santé?*, Québec, Presses de l'Université du Québec, 2011, 118 p.

BRASSEAUX, Carl A. *Acadiana: Louisiana's Historic Cajun Country*, Baton Rouge, Louisiana State University Press, 2011, 200 p.

BRIÈRE, Eloise A. (dir.). *J'aime New York: A Bilingual Guide to the French Heritage of New York State/Guide bilingue de l'héritage français de l'État de New York*, 2ᵉ éd., Albany, State University of New York Press, 2012, 113 p.

BROPHY, Michael, et Mary GALLAGHER (dir.). *La migrance à l'œuvre : repérages esthétiques et politiques*, Berne, Peter Lang, 2011, 247 p.

CATARSI, Enzo, et Jean-Pierre POURTOIS. *Les formations et les recherches en éducation familiale : états des lieux en Europe et au Québec*, Paris, L'Harmattan, 2011, 194 p.

CHAMPLAIN, Samuel de. *Au secours de l'Amérique française (1632)*, texte en français moderne établi, annoté et présenté par Éric Thierry, Québec, Éditions du Septentrion, 2011, 696 p.

COLLECTIF D'ÉLÈVES. *Petites chroniques de notre histoire*, Ottawa, Éditions David, 2011, 208 p.

CRUSE, Romain. *Géopolitique d'une périphérisation du bassin caribéen*, Québec, Presses de l'Université du Québec, 2011, 170 p.

DORAIS, Fernand. *Le recueil de Dorais*, t. 1 : *Les essais*, textes réunis et présentés par Gaston Tremblay, Subdury, Éditions Prise de parole, 2011, 598 p.

DORION, Henri, et Jean-Paul LACASSE. *Le Québec : territoire incertain*, Québec, Éditons du Septentrion, 2011, 336 p.

DUBOIS, Sylvie (dir.). *Une histoire épistolaire de la Louisiane*, avec la collaboration d'Albert Camp *et al.*, Québec, Les Presses de l'Université Laval, 2011, 120 p., coll. « Les voies du français ».

*DUQUETTE, Georges. *Vivre et enseigner en milieu minoritaire : théories et interventions en Ontario français*, Paris, L'Harmattan, 2011, 272 p.

EYMAR, Marcos. *La langue plurielle : le bilinguisme franco-espagnol dans la littérature hispano-américaine*, Paris, L'Harmattan, 2011, 338 p.

FALARDEAU, Érick, et Denis SIMARD. *La culture dans la classe de français : témoignages d'enseignants*, Québec, Les Presses de l'Université Laval, 2011, 238 p.

FERNANDEZ-OLMOS, Margarite. *Creole Religions of the Caribbean: An Introduction from Vodou and Santeria to Obeah and Esperitismo*, 2ᵉ éd., New York, New York University Press, 2011, 324 p.

GAUDETTE, Jean. *L'émergence de la modernité urbaine au Québec*, Québec, Éditions du Septentrion, 2011, 274 p.

GLOVER, Kaiama L. *Haiti Unbound: A Spiralist Challenge to the Postcolonial Canon*, Liverpool, Liverpool University Press, 2011, 262 p.

GMELCH, George. *Behind the Smile: The Working Lives of Caribbean Tourism*, Bloomington, Indiana University Press, 2012, 280 p.

GUILBERT, Lucille. *Mouvements associatifs dans la francophonie nord-américaine*, Québec, Les Presses de l'Université Laval, 2012, 268 p.

HOTTE, Lucie. *Doric Germain*, avec la collaboration de Véronique Roy, Ottawa, Éditions David, 2012, 224 p., coll. « Voix didactiques – Auteurs ».

JAENEN, Cornelius J. *Promoters, Planters and Pioneers: The Course and Context of Belgian Settlement in Western Canada*, Calgary, University of Calgary Press, 2011, 362 p.

JOHNSTON, A. J. B. *1758 : la finale : promesses, splendeur et désolation de la dernière décennie de Louisbourg*, Québec, Les Presses de l'Université Laval, 2011, 454 p.

KNIGHT, Franklin W. *The Caribbean: Genesis of a Fragmented Nationalism*, 3ᵉ éd., New York, Oxford University Press, 2011, 304 p.

LACHAPELLE, Guy. *Le destin américain du Québec : américanité, américanisation et anti-américanisme*, Québec, Les Presses de l'Université Laval, 2011, 369 p.

LACOURSIÈRE, Jacques, Jean PROVENCHER et Denis VAUGEOIS. *Canada-Québec 1534-2000*, Québec, Éditions du Septentrion, 2011, 604 p.

LADOUCEUR, Louise. *Dramatic Licence: Translating Theatre from One Official Language to the Other in Canada*, Edmonton, University of Alberta Press, 2012, 292 p.

LADOUCEUR, Sylvie, et Marc ROBICHAUD. *Vivre sa santé en français au Nouveau-Brunswick : le parcours engagé des communautés acadiennes et francophones dans le domaine de la santé*, Moncton, Institut d'études acadiennes, 2011, 103 p.

LAFERRIÈRE, Dany. *L'art presque perdu de ne rien faire*, Montréal, Éditions du Boréal, 2011, 385 p.

LANDERS, Jane G. *Atlantic Creoles in the Age of Revolutions*, Cambridge, Harvard University Press, 2011, 352 p.

LAVALLÉE, Josiane (dir.). *Les femmes en politique québécoise depuis 50 ans*, Montréal, VLB éditeur, 2011, 232 p., coll. « Bulletin d'histoire politique ».

LEGRIS, Renée. *Histoire des genres dramatiques à la radio québécoise, 1923-2008*, Québec, Éditions du Septentrion, 2011, 512 p.

LEPAGE, Françoise. *Histoire de la littérature pour la jeunesse*, nouvelle édition, Ottawa, Éditions David, 2011, 600 p.

MANNING, Stephen. *Quebec: the Story of Three Sieges*, Montréal, McGill-Queen's University Press, 2011, 216 p.

MARTIN, Claude, *et al. Enjeux des industries culturelles au Québec : identité, mondialisation, convergence*, Québec, Presses de l'Université du Québec, 2011, 468 p.

MARTINEAU, France, et Terry NADASDI. *Le français en contact : hommages à Raymond Mougeon*, Québec, Les Presses de l'Université Laval, 2011, 460 p.

MARTINEZ, Andrea, Pierre BEAUDET et Stephen BARANYI. *Haïti aujour-d'hui, Haïti demain : regards croisés*, Ottawa, Les Presses de l'Université d'Ottawa, 2011, 194 p.

MÉNIL, Alain. *Les voies de la créolisation : essai sur Édouard Glissant*, Le Havre, De l'Incidence Éditeur, 2011, 670 p.

MESLI, Samy, et Yvan CAREL (dir.). *50 ans d'échanges culturels France-Québec : 1910-1960*, Montréal, VLB éditeur, 2011, 240 p., coll. « Bulletin d'histoire politique ».

MILLER, Christopher L. *Le triangle atlantique français : littérature et culture de la traite négrière*, traduit de l'anglais par Thomas van Ruymbeke, Bécherel (France), Éditions Les Perséides, 2011, 544 p.

MIMEAULT, Mario. *Destins de pêcheurs : les Basques en Nouvelle-France*, Québec, Éditions du Septentrion, 2011, 204 p.

MONGO-MBOUSSA, Boniface (dir.). *Édouard Glissant, monde collectif*, Paris, L'Harmattan, 2012, 168 p.

MORENCY, Jean, Hélène DESTREMPES et James DE FINNEY (dir.). *L'Acadie des origines*, Sudbury, Éditions Prise de parole, 2011, 176 p.

MORISSET, Jean. *Haïti délibérée*, Montréal, Mémoire d'encrier, 2011, 290 p.

MOTSCH, Andreas, et Grégoire HOLTZ. *Éditer la Nouvelle-France*, Québec, Les Presses de l'Université Laval, 2011, 262 p.

NIELSEN, Greg Marc. *Le Canada de Radio-Canada*, Toronto, Éditions du GREF, 2011, 206 p.

*NORMAND, Martin. *Le développement en contexte : quatre temps d'un débat au sein des communautés francophones minoritaires (1969-2009)*, Sudbury, Éditions Prise de parole, 2012, 161 p., collection « Agora ».

OUELLET, François (dir.). *Décliner l'intériorité : le roman psychologique des années 1940-1950 au Québec*, Québec, Éditions Nota bene, 2011, 248 p.

*OUELLET, François. *La fiction du héros : l'œuvre de Daniel Poliquin*, Québec, Éditions Nota bene, 2011, 221 p.

PAUYO, Nicolas L. *Haiti: Re-foundation of a Nation*, Bloomington, AuthorHouse, 2011, 296 p.

PAYETTE, Jean-François. *Introduction critique aux relations internationales du Québec : le mythe d'une politique étrangère*, Québec, Presses de l'Université du Québec, 2011, 156 p.

POTHIER, Béatrice. *Contribution de la linguistique à l'enseignement du français*, Québec, Presses de l'Université du Québec, 2011, 194 p.

PROULX, Marc-Urbain. *Territoires et développement : la richesse du Québec*, Québec, Presses de l'Université du Québec, 2011, 470 p.

REDOUANE, Najib, et Yvette BÉNAYOUN-SZMIDT (dir.). *L'œuvre romanesque de Gérard Étienne : écrits d'un révolutionnaire*, Paris, L'Harmattan, 2011, 320 p.

REICH, David. *Souvenirs fragmentés d'un Juif montréalais*, Québec, Éditions du Septentrion, 2011, 260 p.

RHEAULT, Marcel. *La rivalité universitaire Québec-Montréal*, Québec, Éditions du Septentrion, 2011, 286 p.

ROCQUE, Jules (dir.). *La direction d'école et le leadership pédagogique en milieu francophone minoritaire : considérations théoriques pour une pratique éclairée*, Saint-Boniface, Presses universitaires de Saint-Boniface, 2011, 363 p.

*SAINT-MARTIN, Lori. *Gabrielle Roy en revue*, avec la collaboration de Sophie Montreuil, Québec, Presses de l'Université du Québec ; Montréal, Voix et images, 2011, 208 p.

SAVARD, Jean-François, Alexandre BRASSARD et Louis CÔTÉ (dir.). *Les relations Québec-Ontario : un destin partagé ?*, Québec, Presses de l'Université du Québec, 2011, 326 p.

SAVOIE, Chantal. *Histoire littéraire des femmes : cas et enjeux*, Québec, Éditions Nota bene, 2011, 339 p.

SIEGEL, Peter E., et Elizabeth RIGHTER. *Protecting Heritage in the Caribbean*, Tuscaloosa, University of Alabama Press, 2011, 216 p.

SIGGINS, Marie. *Marie-Anne : la vie extraodinaire de la grand-mère de Louis Riel*, Québec, Éditions du Septentrion, 2011, 288 p.

THIBODEAU, Jean-Claude, et France LAMONTAGNE. *Le Québec à l'heure du développement durable*, Québec, Presses de l'Université du Québec, 2011, 134 p.

TREMBLAY, Victor-Laurent. *Être ou ne pas être un homme : la masculinité dans le roman québécois*, Ottawa, Éditions David, 2011, 532 p.

VILLEGAS-KERLINGER, Michèle. *Sur les traces de nos ancêtres : chroniques de l'Amérique du Nord francophone*, Québec, Presses de l'Université de Québec, 2011, 226 p.

VONARX, Nicolas. *Le voudou haïtien : entre médecine, magie et religion*, Québec, Les Presses de l'Université Laval, 2011, 296 p.

THÈSES

AU-YEUNG, Karen. *Development of English and French Literacy among Language Minority Children in Early French Immersion*, thèse de maîtrise, Toronto, Université de Toronto, 2011.

BERGERON-PROULX, Julie. *L'imaginaire national dans le roman pour adolescents en Belgique francophone et au Québec (1995-2005)*, thèse de maîtrise, Montréal, Université Concordia, 2011.

BRASSARD, Alexandre. *Le nationalisme chez les artistes québécois*, thèse de doctorat, Toronto, Université York, 2011.

BRASSEAUX, Ryan André. *Ensemble, on est capable : Memory, Cultural Politics, and the Rise of l'Amérique française*, thèse de doctorat, New Haven, Yale University, 2011.

CAMAL, Jerome. *From Gwoka Modènn to Jazz Ka: Music, Nationalism, and Creolization in Guadeloupe*, thèse de doctorat, St. Louis, Washington University, 2011.

CEPTUS, Barbara. *(Re)membering Revolution, Imagining Blackness: The Haitian Revolution in the Black Cultural Imaginary*, thèse de doctorat, Davis, University of California, 2011.

CLERVOYANT, Dieurat. *Etzer Vilaire et les poètes romantiques haïtiens de la « Génération de la Ronde »*, thèse de doctorat, Cergy-Pontoise, Université de Cergy-Pontoise, 2011.

CORMIER, Joel. *Acadian Accordion Music in South Eastern New Brunswick*, thèse de doctorat, Toronto, Université de Toronto, 2011.

DAILY, Andrew M. *Staying French: Martiniquans and Guadeloupeans Between Empire and Independence, 1946-1973*, thèse de doctorat, Rutgers University-New Brunswick, 2011.

DÉRY-OBIN, Tanya. *Résistances et adhésions à la « nation » : une analyse discursive de la tétralogie* Le Sang des promesses *de Wajdi Mouawad*, thèse de maîtrise, Montréal, Université Concordia, 2011.

DESTILUS, Carline. *Contributions des initiatives de l'économie sociale au développement des communautés rurales : cas des mutuelles de solidarité (MUSO) dans la commune de Port-de-Paix (Haïti)*, thèse de maîtrise, Rimouski, Université du Québec à Rimouski, 2011.

DURAND, Caroline. *Le laboratoire domestique de la machine humaine : la nutrition, la modernité et l'État québécois, 1860-1945*, thèse de doctorat, Montréal, Université McGill, 2011.

FIEDLER, Michelle Y. *The Cajun Ideology: Negotiating Identity in Southern Louisiana*, thèse de doctorat, Pullman, Washington State University, 2011.

FORSYTH, Meghan Catherine. *« De par chez nous »: Fiddling Traditions and Acadian Identity on Prince Edward Island*, thèse de doctorat, Toronto, Université de Toronto, 2011.

FRÉMIN, Marie. *Le récit d'esclave entre témoignage et fiction : États-Unis, France, Caraïbes*, XVIIIe-XXe siècles, Cergy-Pontoise, Université de Cergy-Pontoise, 2011.

GIRAUD, Sylvie. *Utilisation des technologies numériques et développement de compétences informatiques en situation linguistique minoritaire : le cas des jeunes franco-ontariens*, thèse de maîtrise, Ottawa, Université d'Ottawa, 2011.

Iskrova, Iskra. *Prosody and Intonation in Two French-Based Creoles in the Caribbean: Guadeloupean and Haitian*, thèse de doctorat, Bloomington, Indiana University, 2011.

Jean-Pierre, Marky. *Language and Learning in a Post-Colonial Context: The Case of Haiti*, thèse de doctorat, Amherst, University of Massachusetts, 2011.

Kass, Amanda. *Rebuilding Haiti? Discourses of Development and Security in Post-Earthquake Haiti*, thèse de maîtrise, 2011, Boulder, University of Colorado at Boulder, 2011.

Keating, Kelle Lyn. *Le Centre culturel Aberdeen: Minority Francophone Discourses and Social Space*, thèse de doctorat, Austin, University of Texas at Austin, 2011.

Pierre, Arcène. *L'influence des expériences racistes sur le comportement des jeunes issus de l'immigration haïtienne à Montréal*, thèse de maîtrise, Montréal, Université de Montréal, 2011.

Rochais, Véronique. *Les souffrances sociales à la Martinique et leurs modes de gestion*, thèse de doctorat, École des Hautes Études, Paris, 2011.

Sahakian, Emily. *French Caribbean Women's Theatre: Trauma, Slavery, and Transcultural Performance*, thèse de doctorat, Evanston, Northwestern University, 2011.

Salt, Karen M. *The Haitian Question*, thèse de doctorat, West Lafayette, Purdue University, 2011.

Samson, Chantal. *Translation into English of Marie-Celie Agnant's "Vingt petits pas vers Maria" and "Le Noël de Maïté" Accompanied by a Study of the Author, her Oeuvre and her Place in Canadian Literature*, thèse de maîtrise, Sherbrooke, Université de Sherbrooke, 2011.

Turgeon-Gouin, Catherine. *The Myth of Quebec's Traditional Cuisine*, thèse de maîtrise, Montréal, Université McGill, 2011.

Wattara, Mamadou F. *L'écriture du génocide dans les littératures africaine et caribéenne d'expression française : entre transfiguration émotive du réel et mémoire transculturelle*, thèse de doctorat, Rutgers University-New Brunswick, 2011.

Résumés / Abstracts

Stéphanie NUTTING

Joël Beddows, agent double

Un des rares metteurs en scène qui savent naviguer avec aisance dans les labyrinthes de l'espace double de la francophonie ontarienne, Joël Beddows a réalisé d'importantes mises en scène dont : *Le testament du couturier* (Michel Ouellette), *La société de Métis* (Normand Chaurette), *Le Projet Rideau Project* (collectif) et *Frères d'hiver* (Michel Ouellette), sans nommer toutes celles qu'il a réalisées en anglais. Dans cette étude, il s'agit de cerner l'esthétique théâtrale du metteur en scène, en mettant ses réalisations en rapport avec le milieu théâtral de l'Ontario français et en étudiant les deux tendances majeures – et parfois paradoxales – qui sous-tendent l'ensemble de sa pratique. L'article comprend aussi, en annexe, la liste des principales réalisations de Beddows.

One of the few stage directors who can navigate the multiple dimensions of Franco-Ontarian culture with ease, Joël Beddows has directed important pieces such as Le testament du couturier *(Michel Ouellette),* La société de Métis *(Normand Chaurette),* Le Projet Rideau Project *(collective authors), and* Frères d'hiver *(Michel Ouelette), not to mention his stage work in English. This study takes a closer look at the theatrical esthetics of this stage director while tracing the relationships between his work and the field of Franco-Ontarian theatre, as well as analysing the two major – and sometimes paradoxical – underlying trends of his work. The article also includes an annex which lists Beddows' principal productions.*

Noureddine SLIMANI

Hédi Bouraoui ou le discours identitaire transfrontalier

L'écriture d'Hédi Bouraoui est le lieu d'exercice d'une praxis littéraire qui se définit en termes d'écart et d'écartèlement : écart de langage, novateur et décalé ; écartèlement entre une diversité d'espaces et de cultures. La dynamique transculturelle qui fonde l'écriture bouraouienne s'articule dans une logique d'additionnement des cultures. Le questionnement porte sur l'identité, ou plutôt les identités, que charrie chaque personne en situation de nomadisme. L'écriture devient le lieu d'expression d'une attitude critico-créatrice dont la visée ultime est de se repositionner dans l'échiquier des catégorisations institutionnelles. L'appellation d'« écrivain migrant » devient par conséquent contestable. La vision identitaire qui en résulte est celle d'une appartenance multiple, ouverte, transfrontalière.

The writing of Hédi Bouraoui is the setting of a literary praxis that can be defined in terms of distance and struggle: an innovative and staggered linguistic distance and a struggle between a diversity of places and cultures. The transcultural dynamic at the heart of Bouraoui's writing is articulated through a logic founded on cultural superposition. The central question concerns identity, or rather the identities that those who find themselves in nomadic situations bear. Writing becomes the setting of a critical and creative attitude that aims to ultimately bring about a repositioning among institutional categorizations. The label of "migrating writer" (écrivain migrant) has, therefore, become debateable. The resulting identity is one that which has a plural and open sense of belonging, and which is not confined by borders.

Marie BERNIER

Justifier *faussement* la correction ou la non-correction d'erreurs morpho-syntaxiques : réflexions métagrammaticales d'étudiants francophones univer-sitaires en milieu minoritaire

La présente recherche jette un regard sur le savoir grammatical d'étudiants francophones de milieu minoritaire commençant des études universitaires, en étudiant les réflexions (méta)linguistiques émises par des sujets franco-ontariens au moyen du protocole de pensée à voix haute lors d'une tâche de repérage / correction d'erreurs grammaticales et textuelles. Les résultats montrent que si les sujets émettent effectivement des raisonnements métagrammaticaux, leur savoir métagrammatical s'apparente souvent à un amalgame de pseudo-connaissances, qu'il y a de sévères carences dans les connaissances déclaratives et procédurales des règles de la grammaire française, ce qui se traduit souvent par une surutilisation de procédures de substitution et la résolution plus sémantique que métalinguistique des problèmes. Ils montrent aussi que la logique de la réflexion s'apparente à celle d'étudiants de milieu majoritaire même si l'énonciation est teintée du vernaculaire, mais que le problème se trouve amplifié par le facteur sociolinguistique.

This research looks at the grammatical competence of Francophone students in minority settings beginning their university careers by studying the (meta)-linguistic reflections of these Franco-Ontarian subjects through spoken thought processes while performing tasks involving revisions and correcting grammatical and textual errors. The results show that where the subjects effectively produce meta-grammatical reasoning, their meta-grammatical knowledge can often be traced to an amalgam of pseudo-knowledge, in which we find a severe lack of declarative understanding and the procedural rules of French grammar, which is often translated with the over-usage of procedures of substitution and a more semantic than meta-linguistic resolution to the problem. They also show that their logic of reflection is similar to that of the students of the majority culture, even though their enunciation is tainted by the vernacular, although the problem is amplified by socio-linguistic factors.

Antje ZIETHEN

La littérature pour la jeunesse ou l'art de « danser dans les chaînes » : trois textes sur la diaspora haïtienne en Amérique du Nord

Le présent article se propose de sonder un corpus de littérature pour la jeunesse provenant d'auteurs haïtiens de la diaspora nord-américaine, afin d'en découvrir les leitmotivs et leur inscription dans un contexte de migration. À partir des œuvres de Marie-Célie Agnant (*Alexis d'Haïti, Alexis, fils de Raphaël*) et de Stanley Péan (*La mémoire ensanglantée*), tous deux résidant au Québec, ainsi que d'Edwidge Danticat (*Behind the Mountains*), installée à New York, nous interrogerons la manière dont ce genre infléchit les topoï de la littérature dite postcoloniale (pour adultes) dans un univers d'enfants ou d'adolescents. Nous montrerons que – quoique soumise à des contraintes par rapport à son contenu et à sa forme – cette écriture s'invente des stratégies narratives, stylistiques et pédagogiques afin de familiariser le jeune lecteur avec un univers inconnu, parfois injuste et violent. Pourtant, nonobstant la représentation de la souffrance, de l'exclusion ou du malaise, se déploie, à travers la parole simple mais imaginative des enfants, un monde fabuleux, où se conjuguent aventures, épreuves, dépassement et rencontres enrichissantes. Enfin, émergera de l'analyse des textes leur dessein multiple : disséminer, sensibiliser, éduquer, divertir et inspirer un lectorat prêt à se laisser emporter, à apprendre plus sur soi-même et autrui.

*This article proposes to survey a corpus of children's literature, written by Haitian authors throughout North American communities, as a means of identifying the recurring themes and their value in a migration context. Through analyzing the works of Marie-Célie Agnant (*Alexis d'Haïti, Alexis, fils de Raphaël*) and Stanley Péan (*La mémoire ensanglantée*), both residents of Québec, as well as those of Edwidge Danticat (*Behind the Mountains*), who resides in New York, we investigate how this genre manipulates the topoi of so-called Post-Colonial literature (for adults), which are in turn reflected in the world of children's and teen literature. We will demonstrate how, although restricted with regards to content and form, this writing style invents narrative, stylistic and pedagogical strategies used to familiarize young readers with an unknown universe, often unjust and violent. However, the representation of suffering, exclusion and discontentment is present in the simple, yet imaginative, words of children; a magical world, where adventure, challenge, victory and enriching encounters are found. Through this analysis, the multiple aims of these texts will be revealed: to disseminate, to sensitize, to educate, to entertain and to inspire a reader-base that is ready to be carried away and learn more about themselves and others.*

François OUELLET

Fuite et écriture dans *Terrains vagues* de Michel Dallaire

Il est courant de lire les romans de l'auteur franco-ontarien Michel Dallaire dans une optique « universaliste » qui accorde une importance première à l'ailleurs et à la rencontre avec l'autre. Or il s'agit ici de montrer, à partir de l'exemple offert par *Terrains vagues* (1992), que ces motifs ne sont pas une fin en soi, mais qu'ils sont plutôt produits par l'incapacité du personnage féminin, à la suite d'un traumatisme qu'il a subi lorsqu'il était enfant, à vivre parmi les siens, dans sa communauté d'origine. L'héroïne agit moins *pour* l'autre que pour fuir, et moins dans une perspective de l'ailleurs que *contre* ce qu'elle fuit : la communauté dont elle est originaire, sa famille, son passé, son mal de vivre, ses malheurs, sa honte. Par ailleurs, comme le roman se donne à lire comme le journal du personnage, il met en avant un certain nombre d'intertextes à partir desquels l'héroïne tente de progresser dans sa quête de libération.

The novels of Franco-Ontarian writer Michel Dallaire are often read from a "universalist" point of view, in which the clash with distant lands and the "other" are given primary importance. However, this work, in using the example offered in Terrains vagues *(1992), demonstrates that these motifs do not constitute an end in themselves but rather that they are produced by the incapacity of the female character, after having suffered a childhood trauma, to live among her own, in her natal community. The main character does not so much seek out the other as she does to flee. Likewise, the focus is less placed on this new, far-away land than and more on that which she has left behind: her community of origin, her family, her past, her deep sense of unease, her troubles, her shame. Moreover, seeing as the novel reads as though it were the journal of the character, it highlights a certain intertextuality through which the heroine attempts to progress in her quest for liberation.*

Ramon A. Fonkoué

De l'insularité à la globalité : subjectivité et discours humaniste chez Édouard Glissant

La trajectoire intellectuelle d'Édouard Glissant aura été le reflet d'un engagement qui, à l'origine insulaire, dépassa vite les confins de sa Martinique natale, débouchant sur un projet humaniste original. Si les premiers écrits de Glissant prennent un accent fanonien dans l'urgence du sujet colonial de s'affirmer, la maturation de sa pensée dénote cependant une réévaluation du discours de Fanon, de même qu'un rejet de l'humanisme rationaliste de la Modernité auquel Aimé Césaire adhéra. Progressivement, le « lieu » (terre natale) devient la matrice à partir de laquelle s'élabore la « poétique de la relation » qui ouvre sur le monde, porteuse d'un nouvel humanisme.

Édouard Glissant's intellectual trajectory reflects an engagement, with insular roots, that quickly goes beyond the confines of his native Martinique, giving way to his original humanistic project. If Glissant's first writings show the mark of Fanonian influence with regards to the urgency of the self-validation of the subject of colonialism, the maturation of his ideas shows, however, a revaluation of Fanonian discourse, as well as a refusal of the rational humanism of modernity, which Aimé Césaire abided by. Progessively, it is place (his land of birth) that becomes the basis for the elaborations of the "poétique de la relation" which opens onto the world, the vehicle for this new humanism.

Notices biobibliographiques

Marie Bernier est professeure au Département d'études françaises de l'Université Laurentienne depuis 2003. Ses champs d'intérêt portent sur la pédagogie universitaire et didactique du français en milieu minoritaire, la pragmatique linguistique et l'interaction exolingue et, finalement, le savoir métalinguistique. Elle est l'auteure, entre autres publications, de « Procédés discursifs d'intercompréhension en conversation interlingue en contexte de clavardage », paru dans la *Revue des sciences de l'éducation*, et, avec Renée Corbeil, de « Pratiques de consultation des aides logicielles d'étudiants franco-ontariens à leur entrée à l'université », paru dans la *Revue du Nouvel-Ontario*.

Stéphanie Chouinard est doctorante à l'École d'études politiques de l'Université d'Ottawa. Elle est récipiendaire d'une bourse Vanier du Conseil de recherches en sciences humaines du Canada et de la Fondation Baxter et Alma Ricard. Ses recherches portent sur l'évolution du droit à l'autonomie des communautés francophones en situation minoritaire du Canada.

Sébastien Côté est professeur agrégé au Département de français de l'Université Carleton. En 2005, il a fondé, avec Jean-Sébastien Gallaire, les *Cahiers Leiris*, publiant en outre des articles sur Giono, Leiris, Breton, Drieu la Rochelle, Céline, Griaule, Richler, Rufin et Grandbois. Depuis 2008, il travaille principalement sur le patrimoine lettré de la Nouvelle-France et sa réception dans l'histoire littéraire québécoise. Pour le compte de l'Association des professeur.e.s de français des universités et collèges canadiens (APFUCC), il a fait paraître, en 2011, une édition modernisée de la *Brève relation du voyage de la Nouvelle-France* de 1632 de Paul Lejeune. Actuellement, il travaille à l'édition d'un manuscrit inédit, *Les lettres canadiennes (1700-1725)*, et prépare, avec Charles Doutrelepont, un collectif intitulé *Relire le patrimoine lettré de l'Amérique française* (à paraître aux Presses de l'Université Laval).

Ramon A. FONKOUÉ est *Assistant Professor of French and Culture Studies* au Department of Humanities de la Michigan Technological University, où il enseigne les études françaises, la littérature, le monde postcolonial et les questions contemporaines dans le monde francophone. Ses recherches examinent la littérature comme source de savoirs et explorent les points d'intersection entre le discours littéraire et les autres corps de savoirs. Ses travaux actuels portent sur la problématique de la subjectivité dans les écritures postcoloniales. Il prépare un ouvrage sur « l'esthétique et l'éthique du sujet » dans l'écriture antillaise.

Alison GARCIA est étudiante en éducation à l'Institut d'études pédagogiques de l'Ontario (OISE) de l'Université de Toronto. Elle a obtenu une licence en français et en allemand à l'Université de Waterloo en 2012. Pendant la dernière année de sa licence, elle était assistante à la rédaction des numéros 31 et 32 de *Francophonies d'Amérique*. La bibliographie qui paraît dans le présent numéro est sa première publication. Elle envisage de faire carrière dans le domaine de l'éducation.

Karine GAUVIN est professeure adjointe de linguistique au Département d'études françaises de l'Université de Moncton. Elle a récemment soutenu sa thèse de doctorat portant sur le phénomène linguistique que constitue l'application du vocabulaire de la marine au domaine terrestre dans les français acadiens et québécois. Elle travaille actuellement sur le discours métalexicographique des glossaires et des dictionnaires acadiens.

Nicole LANG est professeure d'histoire acadienne et canadienne au campus d'Edmundston de l'Université de Moncton. Ses plus récents travaux portent sur l'histoire du travail en Acadie, notamment les lieux de mémoire ouvriers érigés dans les communautés acadiennes du Nouveau-Brunswick. En 2010, elle a publié, avec l'historien David Frank (Université du Nouveau-Brunswick), l'ouvrage intitulé *Labour Landmarks in New Brunswick / Lieux historiques ouvriers au Nouveau-Brunswick* (Comité canadien sur l'histoire du travail et Athabasca University Press). Son texte « Mémoire et patrimoine maritime : le désastre d'Escuminac de 1959 et le *Monument aux pêcheurs* » a paru dans l'ouvrage collectif *Développement comparé des littoraux du golfe du Saint-Laurent et du Centre-Ouest français, d'hier à aujourd'hui* (sous la direction de Nicolas Landry, Jacques Péret et Thierry Sauzeau, Moncton, Institut d'études acadiennes, 2012).

Carol Jean LÉONARD est professeur agrégé à l'Université de l'Alberta. Il s'intéresse notamment à l'onomastique critique, et ses recherches ont pour sujet la toponymie française des provinces des Prairies canadiennes. Président de la Société canadienne d'onomastique / Canadian Society for the Study of Names et auteur de plusieurs articles en toponymie, il a signé, entre autres, le premier répertoire consacré à la toponymie française de l'Ouest canadien, répertoire dont la rédaction a nécessité plus de vingt années de recherche. Il a pour titre *Mémoire des noms de lieux d'origine et d'influence françaises en Saskatchewan* (Éditions GID, 2010).

Johanne MELANÇON est professeure agrégée au Département d'études françaises de l'Université Laurentienne, où elle enseigne la littérature et la chanson franco-ontariennes, de même que la chanson et la littérature québécoises. Ses publications et ses recherches portent sur l'œuvre de poètes, de romanciers et de dramaturges franco-ontariens, sur l'institution littéraire en Ontario français et sur la chanson. Chercheure associée à la Chaire de recherche sur les cultures et les littératures francophones du Canada, elle a travaillé, en collaboration avec Lucie Hotte, à une recherche subventionnée par le Conseil de recherches en sciences humaines du Canada portant sur l'identité, l'altérité et l'éthique en littérature franco-ontarienne. Elle a également codirigé avec Lucie Hotte une *Introduction à la littérature franco-ontarienne* (Éditions Prise de parole, 2010).

Nicole NOLETTE est doctorante au Département de langue et littératures de l'Université McGill. Sa thèse, qui porte sur les modes de traduction ludiques et supplémentaires spécifiques au théâtre, s'intitule *Jeux et enjeux de la traduction de pièces de théâtre hétérolingues au Canada français*. Elle est récipiendaire d'une bourse doctorale du Conseil de recherches en sciences humaines du Canada.

Stéphanie NUTTING est professeure agrégée au Département d'études françaises de l'Université de Guelph (Ontario). Ses principales recherches portent sur les dramaturgies québécoise et franco-canadienne. Elle a publié *Le tragique dans le théâtre québécois et canadien-français, 1950-1989* (Lewiston, Edwin Mellen Press, 2000), et dirigé, avec François Paré, un ouvrage collectif : *Jean Marc Dalpé : ouvrier d'un dire* (Sudbury, Éditions Prise de Parole, 2006). Elle a aussi collaboré à diverses revues, dont *Voix et Images*, *The French Review*, *Spirale* et *Synergies Canada*.

François OUELLET est professeur titulaire de littérature à l'Université du Québec à Chicoutimi, où il est également titulaire d'une Chaire de recherche du Canada sur le roman moderne. Il a publié une quinzaine d'ouvrages et de très nombreux articles sur les littératures française, québécoise et franco-ontarienne. Son dernier livre, *La fiction du héros : l'œuvre de Daniel Poliquin*, a paru en septembre 2011 aux Éditions Nota bene. Il dirige par ailleurs la collection « Grise » chez ce même éditeur. Il termine actuellement la rédaction d'un ouvrage sur Victor-Lévy Beaulieu et Jacques Ferron.

Jacques POIRIER, originaire de Kapuskasing, dans le nord de l'Ontario, enseigne à l'Université de Hearst. Il s'intéresse à l'enseignement assisté par les technologies, à la littérature franco-ontarienne ainsi qu'au plagiat en tant que technique de création littéraire. Auteur de quatre recueils de poèmes, il a œuvré pendant vingt ans au sein des Éditions du Nordir.

Noureddine SLIMANI prépare un doctorat à l'Université Sorbonne-Paris IV sur « Le transculturel dans l'œuvre d'Hédi Bouraoui ». Il a publié, entre autres, « L'élan transculturel entre parole et écriture : lecture croisée de *Rose des sables* et *Ainsi parle la Tour CN* », dans *Perspectives critiques : l'œuvre d'Hédi Bouraoui* (sous la direction d'Élizabeth Sabiston et Suzanne Crosta, Sudbury, Université Laurentienne, 2007), et « Appartenir autrement : quête de lieu, quête de sens chez Hédi Bouraoui », dans *Langages poétiques et poésie francophone en Amérique du Nord : actes du colloque tenu à Toronto du 1er au 3 octobre 2009* (sous la direction de Lélia L. M. Young, Québec, Les Presses de l'Université Laval, 2013).

Antje ZIETHEN est postdoctorante au Département d'anglais de l'Université McGill depuis décembre 2011. Elle y travaille sur un projet de recherche intitulé « PoétiCITÉS ou le palimpseste urbain : Paris et Londres dans les littératures africaines ». Elle a obtenu un doctorat en études françaises de l'Université de Toronto en 2010. Sa thèse *Géo/Graphies postcoloniales : la poétique de l'espace dans le roman mauricien et sénégalais* a paru chez Wissenschaftlicher Verlag Trier en janvier 2013. Antje Ziethen a donné nombre de conférences et publié plusieurs articles dans *Zeitschrift für Kanada-Studien*, *Présence francophone* et *Nouvelles études francophones*. Ses principaux champs de recherche portent sur la littérature francophone et la littérature africaine (français, anglais), la géocritique, l'écocritique, les études postcoloniales et les études de genre. Présentement, elle codirige un numéro de la revue *Arborescences* ainsi que deux ouvrages collectifs sur la question de l'espace.

Politique éditoriale

Francophonies d'Amérique est une revue pluridisplinaire dans le domaine des sciences humaines et des sciences sociales. Elle paraît deux fois l'an. La direction de la revue favorise non seulement la représentation équitable des diverses disciplines, mais elle encourage également les croisements disciplinaires. L'Ontario, l'Acadie, l'Ouest canadien, les États-Unis et les Antilles (Haïti, Martinique, Guadeloupe) y sont représentés. Le Québec peut aussi y être conçu comme un objet d'étude dans son histoire et sa présence continentales. Les diverses facettes de la vie française dans ces régions font l'objet d'analyses et d'études à la fois savantes et accessibles à un public qui s'intéresse aux « parlants français » en Amérique du Nord. On y retrouve aussi des comptes rendus et une bibliographie des publications récentes en langue française issues de ces collectivités. La direction de la revue privilégie la représentation des régions tant par les textes que par les auteurs et encourage les études comparatives et les perspectives d'ensemble. *Francophonies d'Amérique* vise à refléter un secteur de recherche en pleine croissance et constitue ainsi une source de renseignements des plus utiles pour quiconque s'intéresse à la francophonie nord-américaine dans toute sa vitalité.

Procédure d'évaluation des articles

Tous les articles soumis à la revue, y compris les textes sollicités par la direction, les membres du conseil d'administration ou du comité de rédaction, doivent faire l'objet d'une évaluation par au moins deux personnes compétentes. La revue fera appel le plus souvent possible aux membres du comité de rédaction pour assurer l'évaluation des textes. La sollicitation d'un article ou d'un compte rendu n'en signifie donc pas l'acceptation automatique.

Francophonies d'Amérique ne publie que des articles inédits, c'est-à-dire qui n'ont fait l'objet d'aucune publication antérieure, sous quelque forme que ce soit, incluant le site Web de l'auteur, celui du centre de recherche ou celui de l'institution à laquelle il est rattaché.

Numéros thématiques – textes choisis de colloques

Francophonies d'Amérique accueille volontiers des articles provenant de colloques portant sur des sujets pertinents. Un seul numéro par année est normalement consacré à ce type de publication.

La préparation des textes est confiée au responsable du numéro thématique. Tous les articles doivent être remis en un seul dossier, en format Word. La présentation du numéro par le responsable scientifique et les notices biobibliographiques (100 mots) des collaborateurs et des collaboratrices ainsi que les résumés (en français et en anglais) des articles (100 mots) doivent être compris dans le dossier remis à la direction de la revue. Les textes doivent être conformes aux normes et au protocole de rédaction de la revue.

Les manuscrits doivent faire l'objet d'une évaluation normale par les pairs.

En consultation avec les coordonnateurs des différents dossiers, la direction de *Francophonies d'Amérique* est responsable du choix final des articles, et elle avisera les auteurs de sa décision.

Nombre de pages

Les numéros de *Francophonies d'Amérique* comptent au maximum 200 pages, incluant la table des matières, l'introduction, les articles, les comptes rendus, les notices biobibliographiques et les pages se rapportant à la revue.

Longueur des articles

Les textes soumis pour publication comptent entre 15 et 20 pages, à interligne double. Les tableaux, les graphiques et les illustrations doivent être limités à l'essentiel ; chaque numéro comprend au maximum 26 tableaux et illustrations.

Présentation des articles

La revue utilise le système de renvoi à l'intérieur du texte, suivi d'une bibliographie des ouvrages cités. Les notes doivent être réduites au minimum, et seules celles qui sont essentielles à la cohésion et à la compréhension de l'article seront publiées. De même, la revue ne publiera que la bibliographie des ouvrages cités.

Présentation des comptes rendus

Les comptes rendus comprennent la référence complète de l'ouvrage recensé en guise de titre, suivie du nom de l'auteur du compte rendu ainsi que ses coordonnées complètes. Nombre de mots : entre 1 000 et 1 200.

Protocole de rédaction

Le protocole de rédaction est disponible dans le site Web de la revue, à l'adresse suivante : [http://www.crccf.uottawa.ca/francophonies_ amerique/protocole.pdf].

Accès libre aux articles

Deux ans après la parution de son article en format imprimé et électronique dans le portail Érudit, l'auteur qui le désire pourra diffuser librement son article après en avoir obtenu l'autorisation de *Francophonies d'Amérique* et en s'assurant que la source de l'article est clairement indiquée.

ABONNEMENT À

MENS

Revue d'histoire intellectuelle et culturelle

La revue *Mens* est vouée à l'étude de l'histoire intellectuelle et culturelle de l'Amérique française. Elle paraît sur une base semestrielle, les printemps et automne de chaque année. Pour s'abonner, il suffit de remplir ce bon et de l'envoyer avec son paiement à l'adresse suivante :

**Revue *Mens*
CRCCF
Université d'Ottawa
Pavillon Morisset
65, rue Université, pièce 040
Ottawa (On) K1N 6N5**

Nom, Prénom / Institution

Adresse

Ville   Province / État   Code postal

Courriel   Téléphone

Pour les abonnements à la version numérique, les institutions, les consortiums et les agences d'abonnements doivent communiquer avec Érudits :
Tél. : 514 343-6111, poste 5500
Courriel : erudit-abonnements@umontreal.ca

Type d'abonnement
(Tarif + 5 % de TPS pour le Canada)

- ☐ Étudiant (23 + 1,15 = 24,15 $)
- ☐ Étudiant – 2 ans (38 + 1,90 = 39,90 $)
- ☐ Régulier (28 + 1,40 = 29,40 $)
- ☐ Régulier – 2 ans (48 + 2,40 = 50,40 $)
- ☐ Institution (38 + 1,90 = 39,90 $)
- ☐ Soutien (50 $ ou autre ____ $)
- ☐ Régulier – étranger (46 $ USD)
- ☐ Institution – étranger (51 $ USD)

Paiement par chèque libellé à l'ordre de
Revue *Mens*

☐ Cochez pour obtenir un reçu

N° d'enregistrement TPS : R119278877

Bureau des abonnements
CRCCF

Université d'Ottawa
65, rue Université, pièce 040
Ottawa (Ontario) K1N 6N5
CANADA

Att. Martin Roy
Roy.Martin@uottawa.ca

ABONNEMENT À LA VERSION IMPRIMÉE | NUMÉROS 33 ET 34

Canada (TPS comprise)			**À l'étranger** (frais d'envoi compris)		
Étudiant/ retraité	☐	30 $	Étudiant/ retraité	☐	40 $ CAN
Individu	☐	40 $	Individu	☐	55 $ CAN
Institution	☐	110 $	Institution	☐	140 $ CAN

....

TARIFS À L'UNITÉ | Numéro désiré _____

Canada (TPS comprise)			**À l'étranger** (frais d'envoi compris)		
Étudiant/ retraité	☐	20 $	Étudiant/ retraité	☐	28 $ CAN
Individu	☐	25 $	Individu	☐	33 $ CAN
Institution	☐	60 $	Institution	☐	70 $ CAN

Nom : _____ Prénom : _____

Organisme : _____

Adresse : _____ Ville : _____

Province : _____ Code postal : _____

Téléphone : _____ Courriel : _____

Veuillez retourner une copie de ce formulaire d'abonnement et votre chèque libellé au nom de l'Université d'Ottawa à l'adresse suivante :

Martin Roy
Centre de recherche en civilisation canadienne-française
Université d'Ottawa
65, rue Université, pièce 040
Ottawa (Ontario) K1N 6N5

ABONNEMENT À LA VERSION NUMÉRIQUE

Pour les abonnements à la version numérique, les institutions, les consortiums et les agences d'abonnements doivent communiquer avec Érudit :
Tél. : 514 343-6111, poste 5500 | erudit-abonnements@umontreal.ca

Achevé d'imprimer
en mai deux mille treize, sur les presses
de l'imprimerie Gauvin, Gatineau, Québec